JUNTANDO OS PEDAÇOS

Também de Jennifer Niven:

Por lugares incríveis

JENNIFER NIVEN

JUNTANDO OS PEDAÇOS

Tradução
ALESSANDRA ESTECHE

8ª reimpressão

SEGUINTE

Tradução publicada mediante acordo com Random House Children's Books, uma divisão da Random House LLC.

O selo Seguinte pertence à Editora Schwarcz S.A.

Grafia atualizada segundo o Acordo Ortográfico da Língua Portuguesa de 1990, que entrou em vigor no Brasil em 2009.

O trecho de *A sangue frio* de Truman Capote foi retirado da edição da Companhia das Letras (2003), com tradução de Sergio Flaksman.

TÍTULO ORIGINAL Holding Up the Universe

CAPA David Drummond

ILUSTRAÇÃO DE CAPA Shutterstock

PREPARAÇÃO Lígia Azevedo

REVISÃO Vivian Miwa Matsushita e Renato Potenza Rodrigues

Dados Internacionais de Catalogação na Publicação (CIP)
(Câmara Brasileira do Livro, SP, Brasil)

Niven, Jennifer
Juntando os pedaços / Jennifer Niven ; tradução Alessandra Esteche. — 1ª ed. — São Paulo : Seguinte, 2016.

Título original: Holding Up the Universe.
ISBN 978-85-5534-024-6

1. Ficção norte-americana I. Título.

16-07721 CDD-813

Índice para catálogo sistemático:
1. Ficção : Literatura norte-americana 813

EDITORA SCHWARCZ S.A.
Rua Bandeira Paulista, 702, cj. 32
04532-002 — São Paulo — SP
Telefone: (11) 3707-3500
www.seguinte.com.br
contato@seguinte.com.br

/editoraseguinte
@editoraseguinte
Editora Seguinte
editoraseguinteoficial

Caro leitor,

Alguém gosta de você. Você é necessário. Você é amado.

Essa é a mensagem que tenho escrito para os leitores de *Por lugares incríveis* desde o lançamento do livro em janeiro de 2015. Desde então, milhares de adolescentes que se sentem incompreendidos ou sozinhos entraram em contato comigo. Durante um dia específico do outono do ano passado, escrevi essa mensagem 141 vezes.

Juntando os pedaços é sobre ver e ser visto. Como *Por lugares incríveis*, este romance é uma história pessoal. Ele vem da perda, do medo e da dor que eu mesma senti, ou que pessoas muito queridas para mim sentiram. Vem do meu eu de doze e treze anos, que lutou com o peso e com o bullying decorrente disso. Vem da perda do meu pai, que aconteceu apenas alguns meses depois da perda do meu namorado, quando me fechei completamente e não conseguia sair de casa porque o mundo era muito assustador. De ter que encarar novamente este mundo e ter que entender meu lugar nele. E, mais recentemente, vem da perda da minha mãe, que era meu sol, e de tentar não me preocupar — todos os dias — que eu vou morrer inesperadamente, sem aviso, do mesmo jeito que ela.

Além disso, o livro vem do meu primo de dezesseis anos, que teve que aprender a reconhecer as pessoas à sua volta não pelo rosto, mas sim pelas coisas importantes, como quão legais elas são e quantas sardas elas têm.

Mas a história realmente começou com aquela interação com os leitores. Eu escrevi este livro para Christine nos Estados Unidos, para Jayvee nas Filipinas, para Steysha na Ucrânia, para Paulo no Brasil, para Shubham na Índia, e para todos os outros como eles. Esses adolescentes vibrantes, inteligentes e de coração tão grande que precisam e merecem ser vistos e que precisam saber que alguém gosta deles. Eles são necessários. Eles são amados.

Com amor,
Jennifer

para Kerry,
Louis,
Angelo
e Ed,
que me ajudam a juntar os pedaços

e para os meus leitores,
que são tudo para mim

— Atticus, ele era muito bom…

[…]

— A maioria das pessoas é, Scout,
quando enfim as conhecemos.

O sol é para todos, Harper Lee

Não sou um merda, mas estou prestes a fazer merda. Você vai me odiar, outras pessoas vão me odiar, mas vou fazer isso mesmo assim, para proteger você e a mim mesmo.

Vai parecer uma desculpa esfarrapada, mas tenho uma coisa chamada prosopagnosia, o que quer dizer que não reconheço rostos, nem mesmo das pessoas que amo. Nem mesmo o da minha mãe. Ou o meu.

Imagine entrar em um lugar cheio de estranhos, pessoas que não significam nada para você, porque você não sabe o nome ou a história delas. Agora imagine ir para a escola, para o trabalho ou, pior, para sua própria casa e todos lá parecerem estranhos também.

É isso que acontece comigo: eu entro em um lugar e não conheço ninguém. Em qualquer parte, no mundo inteiro. Preciso decorar o jeito de andar de cada um. Os gestos. A voz. Reconheço as pessoas por essas marcas identificadoras. Repito para mim mesmo: *Dusty tem orelhas pontudas e cabelo afro*. Assim posso encontrar meu irmão mais novo, mas não consigo imaginar suas orelhonas ou seu cabelo se ele não estiver na minha frente. É como se lembrar como as pessoas são fosse um superpoder que todo mundo tem menos eu.

Fui diagnosticado? Não. E não só porque isso está acima da capacidade do dr. Blume, o pediatra da cidade. Não só porque nos últimos anos meus pais estiveram ocupados demais com os próprios problemas. Não só porque é melhor não ser identificado como uma aberração. Mas porque uma parte de mim tem esperança de que não seja verdade. De que isso se resolva por conta própria. Por enquanto, sigo estas regras:

Acene/ sorria para todos.

Seja simpático.

Fique ligado.

Diga coisas MUITO engraçadas.

Seja a alegria da festa, mas não beba. Não perca o controle (isso já acontece bastante sem o álcool).

Preste atenção.

Faça o que for preciso. Seja o maior babaca de todos os tempos. Qualquer coisa para não ser a vítima. É sempre melhor ser o caçador do que a caça.

Não estou contando tudo isso como desculpa para o que vou fazer. Mas gostaria que você soubesse. É o único jeito de evitar que meus amigos façam alguma coisa pior, e é o único jeito de acabar com esse jogo idiota. Não quero machucar ninguém. Esse não é o motivo. Ainda que acabe machucando.

Com carinho,
Jack

P.S. Você é a única pessoa que sabe do meu problema.

Prosopagnosia (pro.so.pag.no.si.a) *s.f.* 1. incapacidade de reconhecer o rosto das pessoas, geralmente como consequência de dano cerebral. 2. estado em que todas as pessoas são estranhas a alguém.

18 HORAS ANTES

LIBBY

Se um gênio da lâmpada surgisse na minha frente, meus três desejos seriam: que minha mãe estivesse viva, que nunca mais acontecesse nada de ruim ou triste comigo e que eu fosse uma das Damsels, líderes de torcida do colégio Martin Van Buren.

Mas e se as Damsels não te quiserem?

São 3h38 da manhã, e é na madrugada que minha cabeça fica mais agitada e fora de controle, tipo meu gato George quando era filhote. De repente, meu cérebro está subindo pelas cortinas. Escalando a estante. Com a pata no aquário e a cabeça já debaixo d'água.

Fico deitada na cama, encarando a escuridão, enquanto minha mente pula pelo quarto.

E se você ficar presa de novo? E se eles tiverem que derrubar a porta do refeitório ou a parede do banheiro para te soltar? E se seu pai casar de novo e depois morrer, deixando você com a nova esposa e os meios-irmãos? E se você *morrer? E se não existir céu e nunca mais der para ver sua mãe?*

Digo a mim mesma que preciso dormir.

Fecho os olhos e fico deitada, paradinha.

Paradinha.

Por minutos.

Faço minha cabeça deitar comigo e digo a ela: *Dorme, dorme, dorme.*

E se você chegar à escola e perceber que as coisas estão diferentes, as pessoas estão diferentes, e você nunca vai tirar o atraso, não importa o quanto tente?

Abro os olhos.

Meu nome é Libby Strout. Você já deve ter ouvido falar de mim. Provavelmente assistiu ao vídeo em que sou resgatada da minha própria casa. Da última vez que conferi, 6345981 pessoas tinham visto, e existem grandes chances de você ser uma delas. Há três anos, eu era a Adolescente Mais Gorda dos Estados Unidos. Cheguei a pesar 296 quilos, o que significa que eu estava mais ou menos 226 quilos acima do peso. Nem sempre fui gorda. A versão curta da história é que minha mãe morreu e eu ganhei peso, mas de algum jeito ainda estou aqui. Juro que não é culpa do meu pai.

Dois meses depois de eu ter sido resgatada, nos mudamos para outro bairro, do outro lado da cidade. Hoje já consigo sair de casa sozinha. Perdi 136 quilos. Duas pessoas inteiras. Ainda preciso perder outros noventa, mas tudo bem. Gosto de como estou. Pelo menos agora consigo correr. E entrar num carro. E comprar roupa no shopping em vez de ter que mandar fazer do meu tamanho. E posso girar. Tirando o fato de eu não precisar mais temer a falência dos meus órgãos, essa é a melhor mudança de todas.

Amanhã é meu primeiro dia de aula desde o quinto ano. Agora sou uma aluna do ensino médio, o que, vamos falar a verdade, soa bem melhor do que a Adolescente Mais Gorda dos Estados Unidos. Mas é difícil sentir qualquer outra coisa além de TERROR ABSOLUTO E IRRESTRITO.

Vou ter um ataque de pânico a qualquer momento.

JACK

Caroline Lushamp liga antes de o despertador tocar, mas deixo cair na caixa postal. Sei que, o que quer que seja, não vai ser coisa boa, e a culpa vai ser minha.

Ela liga três vezes, mas só deixa uma mensagem de voz. Quase apago sem ouvir, mas e se o carro quebrou e ela precisa de ajuda? Afinal, já faz quatro anos que namoro e termino com Caroline. (Somos esse tipo de casal. Aquele que termina-volta-termina-volta, então todo mundo acha que vai ficar junto pra sempre.)

Jack, sou eu. Sei que estamos dando um tempo ou sei lá o quê, mas ela é minha prima. MINHA PRIMA. Poxa, MINHA PRIMA, JACK! Se queria se vingar de mim por ter terminado, parabéns, seu babaca, você conseguiu. Se me vir hoje na aula, no corredor, no refeitório ou EM QUALQUER OUTRO LUGAR DO UNIVERSO, não fale comigo. E vá pro inferno.

Três minutos depois, a prima liga. No começo acho que está chorando, mas depois ouço Caroline no fundo, e a prima começa a gritar, e Caroline começa a gritar também. Apago a mensagem.

Dois minutos depois, Dave Kaminski manda uma mensagem avisando que Reed Young quer me matar por ter ficado com a namorada dele. Respondo que estou devendo uma a ele. E estou mesmo. Kam já me ajudou muito mais do que eu o ajudei.

Toda essa confusão por causa de uma garota que, para ser sincero, parecia tanto com Caroline Lushamp que — pelo menos no início — pensei que *fosse* Caroline Lushamp, então na verdade Caroline deveria se sentir lisonjeada. É como admitir publicamente que quero voltar com ela mesmo depois de ter sido trocado por Zach Higgins na primeira semana de férias.

Penso em mandar uma mensagem para Caroline dizendo isso, mas só desligo o celular, fecho os olhos e tento fazer o tempo voltar até julho. Naquela época, as únicas preocupações que eu tinha eram ir trabalhar, revirar o ferro-velho, construir coisas (incríveis) na minha oficina (irada) e ficar de boa com meus irmãos. A vida seria tão mais fácil se fosse só Jack + ferro-velho + oficina irada + construir coisas incríveis.

Você não devia ter ido àquela festa. Não devia ter bebido. Sabe que não é confiável. Evite álcool. Evite multidões. Evite pessoas. Você sempre acaba deixando todo mundo irritado.

LIBBY

São 6h33 da manhã. Levantei e estou em frente ao espelho. Há algum tempo, pouco mais de dois anos, eu não conseguia me olhar. Tudo o que via era a cara do Moses Hunt gritando pra mim do outro lado do pátio: *Ninguém nunca vai gostar de você, rolha de poço.* E o rosto de todas as outras crianças rindo. *Gorda, baleia, saco de areia...*

Agora, na maioria das vezes só vejo eu mesma — usando um vestido azul-marinho lindo e tênis, com cabelo de comprimento médio cuja cor uma vez minha vó, sempre doce, mas um tanto maluca, descreveu como "igual à daquelas vacas da Escócia". E o reflexo da bola de pelo gigante que é meu gato. George me encara com seus olhos dourados vivos, e eu tento imaginar o que me diria. Há quatro anos, deram seis meses de vida a ele, por causa de uma doença do coração. Mas eu o conheço bem o bastante para saber que é ele quem decide quando vai partir.

George pisca pra mim. Neste momento, acho que diria para eu respirar.

Então eu respiro.

Sou muito boa nisso.

Olho para minhas mãos. Elas estão firmes, ainda que eu tenha roído as unhas. Estranhamente, me sinto bem calma. Então percebo: o ataque de pânico não veio. Isso é algo que vale comemorar, então coloco um dos velhos discos da minha mãe para tocar e danço. Dançar é o que eu mais amo e o que pretendo fazer da vida. Não faço aula desde os dez anos, mas ela está dentro de mim, e a falta de treino não pode apagar isso.

Digo a mim mesma: *Talvez este ano você possa tentar entrar para as Damsels.*

Meu cérebro sobe pelas cortinas e para, tremendo. *E se isso nunca acontecer? E se você morrer antes que qualquer coisa boa ou maravilhosa ou incrível aconteça?* Nos últimos dois anos e meio, a única coisa com que precisei me preocupar foi sobreviver. O foco de todas as pessoas à minha volta, e o meu, era: *Você tem que melhorar.* E agora estou melhor. *E se eu decepcionar todo mundo depois de todo o tempo e esforço que investiram em mim?*

Danço com mais energia para afastar esse pensamento, até que meu pai bate na porta. A cabeça dele aparece.

— Você sabe que eu amo ouvir Pat Benatar de manhã cedo, mas será que os vizinhos também gostam?

Abaixo um pouco o volume e continuo dançando. Quando a música acaba, procuro uma caneta e escrevo em um pé do tênis. **Até o fim da vida, tem sempre alguma coisa esperando, e mesmo que seja uma coisa ruim, que você sabe que é ruim, o que você pode fazer? Não há como parar de viver. (Truman Capote, *A sangue frio*)** Então pego o batom vermelho que minha avó me deu de aniversário, me aproximo do espelho e passo.

JACK

Ouço o chuveiro e vozes lá embaixo. Enfio a cara no travesseiro, mas é tarde demais — não vou mais conseguir dormir.

Ligo o celular e mando uma mensagem primeiro para Caroline, depois para Kam, depois para Reed Young. Digo a todos que eu estava muito bêbado (nem tanto), estava muito escuro (verdade) e não lembro de nada do que aconteceu, porque ainda por cima eu estava chateado. *Tem umas merdas acontecendo aqui em casa e não posso falar disso agora, então se você me desculpar fico te devendo uma pra sempre.* A parte das merdas acontecendo em casa também é verdade.

Para Caroline, acrescento alguns elogios e peço que diga à prima que sinto muito. Explico que prefiro não falar eu mesmo com a garota porque não quero piorar ainda mais a situação. Apesar de ter sido *Caroline* quem terminou *comigo*, e apesar de estarmos separados, e apesar de a gente não se ver *desde junho*. Engulo tudo isso e escrevo para ela. É o que preciso fazer se quero deixar todo mundo feliz.

Me arrasto pelo corredor até o banheiro. O que eu mais preciso no mundo é um banho demorado, mas só consigo umas gotas de água quente seguidas de um jato de água congelante. Sessenta segundos depois — porque é tudo o que consigo suportar — saio, me seco e fico em frente ao espelho.

Então esse sou eu.

É o que penso sempre que vejo meu reflexo. Não tipo: *Uau! Esse sou eu*. E sim: *Hum. Certo. O que temos aqui?* Me aproximo do espelho, tentando juntar as peças do meu rosto, como num quebra--cabeça.

O cara no espelho não é feio — maçãs do rosto salientes, queixo marcado, o canto do lábio levemente erguido, como se tivesse acabado de contar uma piada. Existe alguma beleza ali. O jeito como inclina a cabeça para trás e mantém os olhos semicerrados faz parecer que está acostumando a olhar os outros de cima, como se fosse superior e soubesse disso. Me dou conta que, na verdade, ele parece um babaca. Com exceção dos olhos, muito sérios e com olheiras, como se ele não tivesse dormido. Está usando a mesma camiseta do Super-Homem que usei todo o verão.

O que essa boca (da mãe) quer dizer com esse nariz (também da mãe) e esses olhos (uma combinação dela e do pai)? As sobrancelhas são mais escuras do que o cabelo, mas não tão escuras quanto as do pai. A pele é morena, não escura como a da mãe, nem clara como a do pai.

A outra coisa que não combina é o cabelo. É uma juba afro enorme que parece ter vontade própria. Se for um pouco que seja parecido comigo, o cara no espelho calcula tudo. O cabelo parece incontrolável, mas o cara o deixou crescer por um motivo: para que possa se reconhecer.

Algo no modo como essas características se combinam é o que faz com que as pessoas se reconheçam no mundo. Algo na mistura faz com que digam: *Esse é o Jack Masselin.*

— O que te identifica? — digo para o meu reflexo, esperando a resposta certa, que não está relacionada ao cabelo. É um momento sério, mas então ouço uma risada conhecida, e um borrão alto e magrelo passa tranquilamente. Meu irmão Marcus.

— *Eu sou o Jack e me acho tão gato* — ele cantarola enquanto desce as escadas.

As cinco maiores vergonhas da minha vida
por Jack Masselin

1. Quando minha mãe foi me buscar no jardim de infância depois de ter cortado o cabelo e, na frente da professora, das outras crianças, dos outros pais e do diretor, eu a acusei de tentar me sequestrar.
2. Quando, num jogo de futebol sem uniforme, passei todas as bolas pro time adversário, no que foi a estreia mais desastrosa e vergonhosa de todos os tempos.
3. Quando eu estava tratando uma lesão no ombro com um fisioterapeuta e, no meio do Walmart, disse ao homem que eu achava ser meu treinador de beisebol: *Acho que preciso de mais uma massagem*, e depois descobri que era o sr. Temple, chefe da minha mãe.
4. Quando tentei dar em cima da Jesselle Villegas, e no fim descobri que era nossa professora substituta.
5. Quando dei uns amassos na Caroline Lushamp, mas na verdade era a prima dela.

LIBBY

Não tenho carteira de motorista, então meu pai me dá carona. Uma das muitas, muitas coisas pelas quais estou ansiosa este ano são as aulas de direção na escola. Quando chegamos, fico esperando que meu pai me ofereça conselhos sábios ou faça um discurso motivacional, mas o máximo que ele solta é um:

— Você consegue, Libbs. Venho te buscar quando terminar.

Do jeito que meu pai fala parece mau agouro, como se fosse a cena de abertura de um filme de terror. Então ele me dá um sorriso, do tipo que ensinariam em um vídeo sobre como ser pai. Um sorriso nervoso, com os cantos da boca levantados. Sorrio de volta.

E se eu ficar presa atrás de uma mesa? E se eu tiver que almoçar sozinha e ninguém conversar comigo o ano inteiro?

Meu pai é alto e bonitão. Bacana. Inteligente (ele trabalha com segurança digital em uma grande empresa). Com um coração grande. Depois que fui resgatada de casa, passou por momentos difíceis. Por mais terrível que tenha sido para mim, acho que para ele foi ainda pior, principalmente com as acusações de negligência e abuso. A imprensa não conseguia imaginar de que outra forma eu poderia ter ficado tão gorda. Não sabiam dos médicos aos quais ele me levava e das dietas que tentávamos, tudo isso enquanto ainda estava de luto pela morte da minha mãe. Não viam a comida que eu escondia embaixo da cama e no guarda-roupa. Não poderiam saber que, quando enfio uma coisa na cabeça, vou até o fim. E eu tinha enfiado na cabeça que ia comer.

No início, me recusei a conversar com os repórteres, mas em algum momento precisei mostrar ao mundo que eu estava bem e que meu pai não era o vilão que eles tinham pintado, me enchendo de doces e bolo em uma tentativa de me manter dependente dele, como aquelas garotas de *As virgens suicidas*. Então, contra sua vontade, dei uma entrevista para um canal de TV, e ela viajou até a Europa e a Ásia e voltou.

Sabe, meu mundo inteiro mudou quando eu tinha dez anos. Minha mãe morreu, o que já foi bastante traumático, e aí o bullying começou. O fato de meu corpo ter se desenvolvido cedo, de repente parecendo grande demais para mim, não ajudou. Não estou dizendo que culpo meus colegas. Afinal, éramos crianças. Mas só quero deixar claro que existem múltiplos fatores relacionados, e comecei a ter ataques de pânico sempre que tinha que sair de casa. Meu pai esteve ao meu lado enquanto eu passava por tudo isso.

Agora digo ao meu pai:

— Você sabia que Pauline Potter, a mulher mais gorda do mundo, perdeu quarenta e cinco quilos fazendo maratonas de sexo?

— Você não vai fazer nenhum tipo de sexo até os trinta.

Veremos, penso. Afinal, milagres acontecem todos os dias. O que significa que talvez aquelas crianças que eram tão maldosas comigo no parquinho tenham crescido e percebido que agiram errado. Talvez hoje sejam pessoas boas. Ou talvez sejam ainda piores. Todo livro que leio e todo filme que vejo parece passar a mesma mensagem: o ensino médio é a pior experiência que alguém pode ter.

E se eu esnobar alguém sem querer e virar a Gorda Atrevida? E se eu entrar para a panelinha das magras bem-intencionadas e virar a Melhor Amiga Gorda? E se ficar claro para todo mundo que a educação que recebi em casa não é suficiente para acompanhar o ensino médio, e que eu sou burra demais para entender as aulas?

Meu pai diz:

— Você só precisar aguentar hoje, Libbs. Se for uma droga completa e absoluta, pode voltar a estudar em casa. Só me dê um dia. Aliás, não me dê um dia. *Se* dê um dia.

Falo para mim mesma: *Hoje*. Falo para mim mesma: *Era com isso que você sonhava quando não conseguia sair de casa de tanto medo. Era com isso que você sonhava naqueles seis meses deitada na cama. Era isso que você queria — sair para o mundo como todo mundo.* Falo para mim mesma: *Você precisou de dois anos e meio de spa, aconselhamento, terapia, médicos, coaching e personal trainers para se preparar para isso. Nos últimos dois anos e meio, você caminhou dez mil passos por dia. Cada um deles trouxe você aqui.*

Não sei dirigir.

Nunca fui a uma festa.

Perdi todo o ensino fundamental.

Nunca tive um namorado, apesar de ter ficado com um garoto num spa uma vez. O nome dele é Robbie e ele está repetindo o último ano da escola em algum lugar em Iowa.

Tirando minha mãe, nunca tive um melhor amigo, a não ser imaginário — três irmãos que moram do outro lado da rua da minha casa antiga e que eu chamava de Dean, Sam e Castiel, porque estudavam em escola particular e eu não sabia o nome deles. Eu fingia que eram meus amigos.

Meu pai parece tão nervoso e esperançoso que pego a mochila e desço. Fico em pé em frente à escola enquanto as pessoas passam por mim.

E se eu me atrasar para todas as aulas porque não consigo andar rápido o suficiente e acabar na detenção, onde vou conhecer os únicos garotos que vão se interessar por mim — problemáticos e delinquentes —, me apaixonar por um deles, engravidar, largar a escola antes de me formar e ter que morar com meu pai pelo resto da vida ou pelo menos até o bebê fazer dezoito anos?

Quase volto para o carro, mas meu pai ainda está ali, com o sorriso esperançoso no rosto.

— Você consegue — ele diz mais alto dessa vez e (juro!) faz sinal de positivo.

E é por isso que me junto à multidão e deixo que ela me carregue. De repente estou na fila para entrar, abro a mochila para a revista, passo pelos detectores de metal, entro em um corredor comprido que se bifurca em todas as direções, enquanto cotovelos e braços batem em mim e me empurram. *Em algum lugar nesta escola pode estar o garoto por quem vou me apaixonar*, penso. *Um desses meninos pode ser aquele que finalmente vai reivindicar meu coração e meu corpo. Sou a Pauline Potter do colégio Martin Van Buren. Vou perder o resto do peso fazendo sexo.* Olho para todos os meninos que passam. *Poderia ser aquele cara, ou talvez este. Essa é a beleza do mundo. Neste exato momento, aquele garoto ali ou o outro não significam nada para mim, mas logo vamos nos conhecer, e isso vai mudar o mundo dele e o meu.*

— Anda, balofa — alguém diz.

A palavra me atinge como uma agulha, como se o mundo estivesse tentando me estourar como estourou meu balão de pensamento. Sigo em frente. O bom de ser grande é que fica fácil abrir caminho.

JACK

Como o cabelo, o carro faz parte da imagem. É um Land Rover 1968 restaurado que Marcus e eu compramos de um tio. Era usado para o trabalho na fazenda antes de ficar abandonado por quarenta e poucos anos, mas agora é parte Jeep, parte quadriciclo e cem por cento *foda*.

Meu irmão está mal-humorado no banco do passageiro.

— Babaca — ele diz baixo e para a janela.

Infelizmente para mim, a carteira de motorista dele chegou há um mês.

— Quanta educação. Espero que o segundo ano não acabe com esse bom humor. Você pode dirigir ano que vem, quando eu estiver na faculdade.

Se eu for para a faculdade. Se algum dia eu sair deste lugar.

Ele mostra o dedo do meio. No banco de trás, Dusty, o mais novo, chuta o banco.

— Parem de brigar.

— Não estamos brigando, maninho.

— Vocês parecem a mamãe e o papai. Aumenta a música.

Há uns dois anos, meus pais se davam muito bem. Mas aí meu pai descobriu que tinha câncer. E, uma semana antes, eu havia descoberto que ele estava traindo a minha mãe. Ele não sabe que eu sei, e eu não tenho certeza se minha mãe sabe, mas às vezes parece que sim. Ele tratou o câncer, mas não tem sido fácil, principalmente para o Dusty, que tem dez anos.

Aumento o volume. Está tocando uma música meio velha — "SexyBack", do Justin Timberlake —, e eu entro no clima. Tem quatro músicas que eu gostaria que começassem a tocar sempre que eu entro em algum lugar, e essa é uma delas.

Paramos na frente da escola do Dusty, que desce do carro antes que eu possa falar com ele. Vou atrás, levando a chave para que Marcus não saia com o carro.

Durante as férias, Dusty começou a andar de bolsa. Ninguém fala sobre isso — nem minha mãe nem meu pai nem Marcus.

Ele está na metade do caminho quando eu o alcanço. Tive que manter os olhos nele para que não o perdesse. Dusty tem a pele mais escura de nós três, e seu cabelo é cor de cobre. A família da minha mãe é uma mistura de negros e europeus e a do meu pai é judia. A pele de Dusty é mais parecida com a da minha mãe. Já Marcus não poderia ser mais branco. E eu sou só o Jack Masselin, o que quer que isso signifique.

— Não quero me atrasar — diz Dusty.

— Você não vai se atrasar... Eu só queria... Tem certeza de que vai entrar com essa bolsa, maninho?

— Gosto dela. Cabe tudo aqui dentro.

— Eu também gosto. É uma bolsa bem legal. Mas não sei se os outros alunos vão curtir tanto quanto a gente. Eles podem ficar com inveja e tirar sarro de você.

Um grupo grande desses alunos passa pela gente.

— Eles não vão ficar com inveja. Vão achar estranho.

— Só não quero que peguem no seu pé.

— Se eu quiser usar bolsa, vou usar. Não vou deixar de fazer isso porque os outros podem não gostar.

Então aquele magrelinho orelhudo vira meu herói. Enquanto se afasta, fico olhando como se move, reto como uma flecha, com o queixo erguido. Quero entrar com ele na escola para ter certeza de que nada de ruim vai acontecer.

Sete carreiras para quem tem prosopagnosia
por Jack Masselin

1. Pastor (desde que a prosopagnosia não se estenda a cães e ovelhas).
2. Operador de pedágio (desde que ninguém que você conheça passe pela sua rota).
3. Estrela do rock, membro de uma boy band, jogador da NBA, ou qualquer coisa do tipo (as pessoas esperariam um ego tão grande que não se surpreenderiam quando você não lembrasse delas).
4. Escritor (a carreira mais recomendada para qualquer um com fobia social).
5. Passeador de cães (ver número um).
6. Embalsamador (se bem que é perigoso confundir os corpos).
7. Eremita (ideal, mas não dá muito dinheiro).

LIBBY

Abro caminho até minha primeira aula e sento na fileira mais próxima à porta, caso tenha que fugir em algum momento. Mal caibo na carteira. Minhas costas estão úmidas e meu coração pula. Ninguém percebe. Pelo menos é o que espero, porque não tem nada pior do que ficar conhecida como a gordinha suada. Meus colegas vão entrando. Alguns me encaram, outros riem. Não reconheço naqueles rostos adolescentes nenhuma das crianças com quem estudei.

Mas a escola é exatamente como eu esperava, e mais. Para começar, o Martin Van Buren tem mais ou menos dois mil alunos, então é um lugar bem tumultuado. E ninguém parece tão perfeito e plastificado quanto nas versões da TV ou do cinema. Adolescentes de verdade não têm vinte e cinco anos. Uns têm pele ruim e cabelo ruim, outros pele boa e cabelo bom, e há uma série de tamanhos e formatos diferentes. Gosto mais de nós do que das versões da TV, ainda que sentada nesta cadeira eu me sinta como uma atriz interpretando um papel. Sou o peixe fora d'água, a garota nova da escola. *Qual vai ser minha história?*

Me dou conta de que posso começar do zero. Este é um novo começo para mim, e o que quer que tenha acontecido quando eu tinha onze, doze ou treze anos já passou. Estou diferente. Eles estão diferentes, pelo menos por fora. Talvez não lembrem que eu era *aquela garota*. E não pretendo avivar a memória de ninguém.

Olho em seus olhos e dou um sorriso parecido com o do meu pai.

Isso parece surpreender todo mundo. Alguns sorriem de volta. O menino sentado ao meu lado estende a mão.

— Mick.

— Libby.

— Sou de Copenhague. Estou fazendo intercâmbio. — Mesmo tendo cabelo preto, ele parece um viking. —Você é de Amos?

Quero responder *Também estou fazendo intercâmbio. Sou da Austrália. Sou da França.* Mas os únicos garotos com quem conversei nos últimos cinco anos foram os do spa, então só faço que sim com a cabeça.

Ele diz que não tinha certeza se devia vir pra cá, mas achou que seria uma boa experiência conhecer o interior dos Estados Unidos e "o modo de vida do americano comum". O que quer que isso signifique.

— Do que você mais gosta em Indiana? — consigo perguntar.

— Do fato de que um dia vou embora daqui.

Ele ri, então eu rio, e aí duas garotas entram e seu olhos focam imediatamente em mim. Uma delas sussurra alguma coisa para a outra, e ambas sentam na nossa frente. Tem alguma coisa familiar nelas, mas não consigo lembrar quem são. *Vai ver a gente se conhecia.* Meu corpo se arrepia e me sinto em um filme de terror de novo. Olho para o teto como se um piano fosse cair na minha cabeça. Porque sei que vai surgir de algum lugar. É sempre assim.

Digo a mim mesma para dar uma chance ao Mick, dar uma chance a essas garotas, dar uma chance a este dia, dar uma chance a mim mesma, acima de tudo. Mas só sei que perdi minha mãe, comi até quase morrer, fui resgatada da minha própria casa enquanto o país inteiro acompanhava, aguentei os exercícios, as dietas e a decepção nacional e recebi e-mails raivosos de estranhos.

É um absurdo que alguém se permita ficar tão gordo e é um absurdo que seu pai não faça nada a respeito. Espero que você sobreviva a isso e se entenda com Deus. Existem pessoas passando fome no mundo e é vergonhoso comer tanto enquanto outros não têm nem o suficiente para sobreviver.

Então eu me pergunto: o que o ensino médio pode fazer comigo que já não tenha sido feito?

JACK

Ligeiramente adiantado, entro no estacionamento e paro na última vaga da primeira fila. Marcus derruba o celular e se abaixa para pegar. Quando levanta a cabeça, é uma pessoa totalmente diferente. Assim, o esquema que eu tinha na cabeça se desfaz, e tenho que começar de novo:

Cabelo desgrenhado + queixo pontudo + pernas de girafa = Marcus.

Mal acabo de estacionar o Land Rover e ele já desce do carro e começa a falar com as pessoas. Quero dizer: *Me espere. Não me deixe sozinho.* Quero segurar o braço dele para não me perder. Em vez disso, mantenho os olhos em Marcus sem piscar, porque não quero que suma. Ele se mistura na multidão, entrando na escola como mais um do rebanho.

O reino animal tem coletivos bem doidos. Um fato de cabras. Uma vara de porcos. Uma panapaná de borboletas. Uma capela de macacos. Como um grupo assim seria chamado? Um terror de alunos? Um pesadelo de adolescentes? Por diversão, analiso os rostos que passam, procurando meu irmão. Mas é como tentar escolher um peixe no meio de um cardume.

Sento por trinta segundos, curtindo a solidão. *Trinta. Vinte e nove. Vinte e oito. Vinte e sete...*

Vai ser o único momento de paz até eu voltar pra casa. Nesses trinta segundos, penso em tudo que não posso pensar pelas próximas oito horas. É sempre a mesma coisa.

Minha cabeça é ferrada...

LIBBY

Já se passaram vinte minutos desde que a aula começou e ninguém mais olha para mim. A professora, sra. Belk, está falando e até aqui consegui acompanhar. Mick fica fazendo comentários espertinhos para mim, o que o torna meu novo melhor amigo, meu futuro namorado ou o garoto com quem vou perder o resto dos quilos em uma maratona sexual.

Você pertence a este lugar tanto quanto qualquer um. Ninguém sabe quem você é. Ninguém liga. Você consegue, garota. Não cante vitória ainda, mas acho que vai conseguir.

Então dou risada de algo que Mick diz e *alguma coisa sai voando do meu nariz e cai no livro dele.*

A sra. Belk diz:

— Quietos, por favor.

E continua falando.

Colo meus olhos nela, mas ainda consigo ver Mick pelo canto do olho. Não tenho certeza se ele percebeu o que saiu do meu nariz e não tenho coragem de olhar. *Por favor, não olhe.*

Mick continua sussurrando como se nada tivesse acontecido, como se não fosse o fim do mundo, mas só quero fechar os olhos e morrer. Não era assim que eu queria que as coisas começassem. Não foi isso que pensei deitada ontem à noite, imaginando meu grande retorno à sociedade adolescente.

Talvez ele pense que é alguma tradição americana esquisita. Tipo, algum costume bizarro para acolher os estrangeiros em nosso país.

Passo o resto da aula muito concentrada no que a sra. Belk diz, com os olhos fixos nela.

Quando o sinal toca, as duas meninas que pareciam familiares viram e ficam me encarando, e vejo que são Caroline Lushamp e Kendra Wu, que conheço desde o primeiro ano. Depois do resgate, elas foram entrevistadas pela imprensa, citadas como "amigas próximas da adolescente problemática". Na última vez que as vi pessoalmente, Caroline era uma garota de onze anos sem graça que usava o mesmo cachecol de Harry Potter todos os dias, por mais quente que estivesse. Ela tinha se mudado de Washington para Amos quando era bem pequena e tinha vergonha de seus pés, porque seus dedos longos se curvavam como os de um papagaio. O que lembro sobre Kendra é que escrevia fanfictions do Percy Jackson e chorava todos os dias por qualquer coisa — meninos, lição de casa, chuva.

Caroline, é claro, hoje é alta e bonita o suficiente para fazer comercial de xampu. Veste uma saia e um paletó acinturado, como se estudasse em uma escola particular. Kendra — com um sorriso que parece ter sido tatuado no rosto — está toda de preto e é bonita o bastante para ser recepcionista do Applebee's em um bairro rico da cidade.

Caroline diz para mim:

— Já vi você antes.

— Sempre me dizem isso.

Ela me encara, e sei que está tentando lembrar quem eu sou.

— Todo mundo me confunde com a Jennifer Lawrence, mas não somos parentes.

Parece que as sobrancelhas dela vão pular do rosto.

— Eu sei. É difícil acreditar, mas pesquisei na internet e tenho certeza de que não temos nenhum parentesco.

— Você é a garota que ficou presa dentro de casa. — Ela vira para Kendra. — Tiveram que chamar os bombeiros, você lembra? A gente apareceu na TV.

Nada de *Você é Libby Strout, a garota que conhecemos no primeiro ano.* Só *Você é a garota que ficou presa em casa e sobre quem demos entrevista.*

Mick de Copenhague está assistindo a tudo.

— Você está me confundindo com a Jennifer Lawrence de novo — digo.

A voz da Caroline fica suave e simpática.

— Como você está? Fiquei tão preocupada. Não posso nem imaginar como deve ter sido. Mas, nossa! Você emagreceu tanto! Né, Kendra?

A outra tecnicamente ainda está sorrindo, mas a parte de cima do rosto está franzida.

— Muito.

— Você está tão bonita.

Kendra continua com a mesma expressão.

— Amei seu cabelo.

Uma das piores coisas que uma garota bonita pode dizer para uma gorda é *Você está tão bonita.* Ou *Amei seu cabelo.* Sei que generalizar garotas bonitas é tão ruim quanto generalizar as gordas e que é possível ser bonita e gorda (claro!), mas por experiência própria sei que essas são as coisas que garotas como Caroline Lushamp e Kendra Wu dizem quando na verdade pensam o contrário. São elogios por pena e me matam um pouco por dentro. Sem dizer uma palavra, Mick de Copenhague levanta e sai da sala.

JACK

Caroline Lushamp é a coisa mais próxima que tenho de uma namorada. Isso porque ela costumava ser esquisita e fofa e, acima de tudo, inteligente. Quando me apaixonei por ela, Caroline não usava o cérebro para aparecer — isso veio depois. Ela só sentava e absorvia toda a matéria como uma esponja. A gente conversava por telefone depois que todo mundo já tinha ido dormir, e Caroline me contava sobre o dia dela — o que tinha visto, o que tinha pensado. Às vezes a gente varava a noite conversando.

A Caroline de hoje é alta e linda. Sua marca identificadora é que ela se destaca na multidão. Intimida todo mundo, até os professores, principalmente porque agora faz questão de falar — *o tempo todo* — e não tem papas na língua. O principal motivo pelo qual ainda estávamos juntos é o nosso histórico. *Sei que aquela Caroline ainda está ali dentro mesmo que não haja sinal dela.* Essa nova garota chegou sem aviso, no ano passado, o que significa que a velha Caroline pode voltar a qualquer momento. Fora que ela é facilmente reconhecível.

Viro no corredor que menos gosto, o da biblioteca, onde fica o armário dela. No primeiro ano eu trabalhava na biblioteca e, se encontrar alguma das bibliotecárias, ela vai dizer oi e perguntar da minha família, e eu vou ter que adivinhar quem é.

Conforme vou andando, as pessoas vão me cumprimentado, e isso é um pesadelo. Assumo uma postura um pouco mais arrogante, com um meio sorriso estampado no rosto, mantendo a pose casual. Provavelmente deixo um conhecido passar, porque ouço alguém dizer:

— Imbecil.

As águas são traiçoeiras. E inconstantes. Essa foi a primeira coisa que aprendi sobre o ensino médio. Num minuto todos gostam de você, no seguinte você é um pária. Pergunte ao Luke Revis, o garoto mais famoso do MVB. Luke era *o cara* no primeiro ano, até todo mundo descobrir que o pai dele tinha sido preso. Hoje o garoto também está preso, e nem queira saber por quê.

Neste momento, o corredor está cheio de Lukes em potencial. Um garoto é enfiado em um armário. Outro toma uma rasteira de alguém e voa para cima de outra pessoa, que o empurra para o primeiro, que o empurra de volta, até que ele fica passando de mão em mão como uma bola de vôlei. Duas garotas falam mal de outra na cara dela, até que a coitada sai com os olhos vermelhos, chorando. Outra tem uma letra "A" escarlate nas costas, e todo mundo acha graça quando ela passa sem entender a piada. Para cada pessoa rindo neste corredor, outras cinco parecem horrorizadas ou tristes.

Tento imaginar como seria se o pessoal da escola soubesse do meu problema — eles poderiam literalmente roubar minhas coisas, até meu carro, depois voltar e me ajudar a procurar. Esse cara poderia fingir ser aquele outro ou essa garota poderia fingir ser aquela ali, e seria realmente hilário. Todos cientes da piada menos eu.

Minha vontade é continuar andando até a entrada principal e fugir.

— Espera, Mass.

Começo a andar mais rápido quando ouço isso.

— Mass!

Puta merda. Vá embora, quem quer que seja.

— Mass! Mass! Espera, seu bosta!

O cara corre para me alcançar. Ele tem mais ou menos a minha altura e é forte. O cabelo é castanho e ele usa uma camiseta bem comum. Olho para sua mochila, o livro que está carregando, seus sapatos, qualquer coisa que possa me dar alguma ideia de quem é. Enquanto isso, ele começa uma conversa.

— Cara, você precisa ver se não tem algum problema de ouvido.

— Foi mal. Vou encontrar a Caroline.

Se ele a conhece, isso pode funcionar.

— Merda. — Ele a conhece. Em se tratando da Caroline Lushamp, a maioria das pessoas pode ser dividida em duas categorias: a das que a amam e a das que morrem de medo dela. — Não é à toa que você está distraído. — Pelo jeito como ele fala, percebo que pertence à categoria daqueles que têm medo. — Só achei que você talvez quisesse falar na minha cara.

Este é outro pesadelo — quando as pessoas não oferecem o suficiente para eu continuar a conversa.

— Falar o quê?

— É sério? — O garoto para no meio do corredor, com o rosto vermelho. — Ela é minha *namorada*. Eu poderia te encher de porrada.

Tenho quase certeza de que é Reed Young, mas existe uma pequena possibilidade de ser outra pessoa. Preciso manter a conversa genérica e parecer o mais específico possível.

— Tem razão. Eu sei disso. Te devo uma, cara.

— Deve mesmo.

Ouço vozes vindo do corredor, altas e escandalosas, como uma quadrilha saqueando um vilarejo. As pessoas saem do caminho. Dois caras enormes se aproximam.

— E aí, Mass? Estou sabendo que você se divertiu na festa — um deles diz.

Os dois riem descontroladamente. Eu não os reconheço, mas parece que são meus amigos. Um deles dá uma ombrada num menino que passa e diz para ele olhar por onde anda.

Digo à muralha:

— Cara, estou no meio de uma conversa.

Faço um gesto em direção a Reed, então falo com ele:

— Sério, cara. Você é um bom amigo.

Isso não é exatamente verdade, mas estamos juntos no time de beisebol desde o primeiro ano.

— Eu ainda quero socar você, então não faça isso de novo.

— Nunca.

Ele olha para a biblioteca. Uma garota está parada na frente dos armários, conversando no celular. Ele treme.

— Eu não queria ser você neste momento.

O garoto sai na outra direção, seguido pelas muralhas.

Quando me aproximo da garota, vejo os olhos claros em contraste com a pele escura e a pinta que ela desenha ao lado da sobrancelha direita, mesmo que todo mundo saiba que não é de verdade.

Corra enquanto pode.

Ela olha pra cima.

— *É sério?* — a menina diz. E sim, é a Caroline. Ela não espera, simplesmente vira e entra na biblioteca, onde vejo as bibliotecárias atrás da mesa, esperando que eu entre para que possam me fazer de bobo.

Agarro seu braço e faço Caroline virar. Mesmo sem vontade, eu a puxo para mim e dou um beijo que a deixa sem fôlego.

— Era isso que eu devia ter feito sábado — digo ao soltar seu braço. — Era isso que eu devia ter feito as férias todas.

O calcanhar de aquiles da Caroline são comédias românticas e livros de vampiro. Ela quer viver em um mundo onde o cara agarra a garota e a beija porque está tão tomado pelo desejo que não consegue raciocinar. Então toco seu rosto e ajeito seu cabelo atrás da orelha, tomando o cuidado de não estragar o penteado, ou ela só ficaria mais irritada. Por algum motivo, olhar nos olhos dela é difícil para mim, então fico olhando para sua boca.

—Você é linda.

Cuidado. É isso que você quer? Já caiu nessa antes, cara. Quer mesmo repetir o erro?

Mas tem um pedaço de mim que precisa dela. E odeia isso.

Sinto que Caroline está se acalmando. Se eu a conheço, esse é o melhor presente que eu poderia ter dado — deixar que me perdoe. Ela não sorri — a nova Caroline raramente sorri —, mas mantém os olhos no chão, fixos em alguma coisa invisível ali. Então entorta um pouco a boca. Está pensando. Finalmente, diz:

— Você é péssimo, Jack Masselin. Não sei nem por que ainda falo com você.

O que na língua da Caroline quer dizer *Eu também te amo.*

— E o Zach?

— Terminei com ele faz duas semanas.

E, simples assim, estamos juntos de novo.

Ela pega minha mão e andamos pelos corredores. Meu coração bate forte e tenho a sensação de que agora está tudo bem. Mesmo sem saber, ela vai ser minha guia. Vai me dizer quem é quem. Somos a Caroline e o Jack, o Jack e a Caroline. Enquanto eu estiver com ela, *está tudo bem. Está tudo bem. Está tudo bem.*

LIBBY

Segundo o sr. Dominguez, se ele não fosse professor de educação no trânsito, estaria confiscando carros. Mas não os das pessoas que não podem pagar o financiamento. Ele pegaria os veículos daquelas que dirigem mal e, como Robin Hood, doaria todos a instituições de caridade ou bons motoristas sem dinheiro para um carro próprio. É difícil dizer se ele está falando sério, porque parece não ter um pingo de senso de humor e mantém o olhar penetrante o tempo todo. É o cara mais gato que já vi.

— Muitas escolas estão acabando com as aulas de educação no trânsito. Elas acham que os alunos podem aprender isso em outro lugar... — O jeito como ele fala *outro lugar* faz pensar num canto escuro e terrível. — Mas ensinamos vocês aqui porque nos importamos.

Ele coloca um filme mostrando um carro que bate na traseira de um caminhão e vai parar embaixo dele. No início, um menino chamado Travis Kearns ri, mas depois solta um "Caramba!" e fica quieto. Dez minutos depois, nem Bailey Bishop está rindo, e Monique Benton pede licença para ir ao banheiro vomitar.

Depois que ela sai, o sr. Dominguez diz:

— Mais alguém? — Ele fala como se Monique tivesse saído em sinal de protesto. — De acordo com as estatísticas, vocês vão morrer em um acidente de carro antes dos vinte e um anos. Estou aqui pra garantir que isso não aconteça.

Sinto um arrepio percorrer o corpo. Tenho a sensação de que ele está nos preparando para uma batalha, como se fosse o Haymitch e todos nós fôssemos a Katniss. Do outro lado da sala, Bailey solta um "Nossa!". Mas o que ela quer dizer é "Puta que pariu". Todo mundo parece enjoado, menos eu.

Isso porque, enquanto a cabeça de alguém sai rolando pela estrada, descubro o papel que quero desempenhar nessa turma e na escola. Não vou ser uma estatística — bati as estatísticas quase minha vida inteira. Não vou ser uma dessas motoristas esmagadas por um caminhão. Quero ser a garota que pode fazer qualquer coisa. Quero ser a garota que participa da seleção para as Damsels *e passa.*

Levanto a mão. O sr. Dominguez faz um sinal com a cabeça e sinto outro arrepio.

— Quando vamos dirigir?

— Quando estiverem prontos.

Oito principais motivos para eu odiar o câncer

por Jack Masselin

1. É hereditário, o que significa que, mesmo que você seja jovem, é como se tivesse um alvo nas costas.
2. Está no meu histórico familiar.
3. Vem como um meteoro, do nada.
4. Quimioterapia.
5. É muito sério *mesmo*! (Em outras palavras, qualquer que seja a situação, não ria como tentativa de aliviar a tensão.)
6. Ter que pedir coisas para Deus, mesmo que você não tenha certeza de que ele existe.
7. Seu pai pode ser diagnosticado com câncer uma semana depois de você descobrir que ele está traindo sua mãe.
8. Ter que ver sua mãe chorar.

LIBBY

Paro na sala da Heather Alpern a caminho da quarta aula. Ela está comendo uma maçã fatiada, as pernas longas cruzadas, os braços longos apoiados como gatos nos braços da poltrona. Antes de ser treinadora das Damsels, ela dançava no Radio City Music Hall. Heather Alpern é tão bonita que não consigo olhar diretamente para ela. Fico encarando a parede enquanto digo:

— Preciso de um formulário de inscrição para as Damsels, por favor.

Espero que ela diga que existe um limite de peso e que estou muito, muito além dele. Espero que jogue aquela cabeça maravilhosa para trás e ria histericamente antes de me mandar embora. Afinal, as Damsels têm uma reputação a zelar. Além de acompanhar os jogos de futebol americano e basquete, são a atração de todos os grandes eventos da cidade — inaugurações, desfiles, shows.

Heather Alpern só vasculha uma gaveta e pega um formulário.

— A temporada começou no verão. Se ninguém sair do time, o próximo teste será só em janeiro.

Digo para meus pés:

— E se alguém sair?

— Então faremos testes. Colocamos pôsteres pela escola anunciando.

Ela me entrega o formulário.

— Traga de volta preenchido, que coloco no arquivo. Não esqueça da autorização dos pais.

Ela dá um sorriso lindo e encorajador, como a Maria de *A noviça rebelde*, e eu saio flutuando, como se estivesse cheia de hélio.

Saltito pelos corredores, com a sensação de que estou guardando o maior segredo do mundo. *Talvez você não acredite, mas eu amo dançar.*

Olho para o rosto de todos que passam por mim e imagino que segredos estão guardando. De repente alguém esbarra em mim, um menino com a cabeça quadrada e uma cara grande e corada.

— Oi — ele diz.

— Oi.

— É verdade que as gordas chupam melhor?

— Não sei. Nunca fui chupada por uma gorda.

Algumas pessoas passando dão risada. O olhar dele esfria e ali está — o ódio que um estranho pode sentir por você pelo simples fato de *achar* que te conhece ou *odiar* o que você representa.

—Você é nojenta.

— Se serve de consolo, você também é — respondo.

Ele resmunga alguma coisa que parece e provavelmente é *gorda vadia*. Não importa que eu seja virgem. Considerando todos os meninos que me chamam disso desde o quinto ano, é de se imaginar que eu já dei umas mil vezes.

— Deixe a garota em paz, Sterling.

Quem diz isso é uma garota de cabelo longo e esvoaçante, com pernas supercompridas. Bailey Bishop. Se a Bailey de hoje for como a Bailey de antigamente, ela é séria, popular e ama Jesus. É uma garota bem legal. Todos gostam dela. Bailey entra em um lugar já esperando isso, e é o que acontece, porque como alguém poderia não amar uma garota tão simpática?

— Oi, Libby. Não sei se você lembra de mim...

Ela não enlaça o braço no meu, mas é como se tivesse feito isso. Seu tom de voz é o mesmo, e todas as suas frases terminam em uma nota alta e feliz. É quase como se estivesse cantando.

— Oi, Bailey. Lembro sim.

— Estou muito feliz que tenha voltado.

Então ela me abraça e sem querer me atinge com seu cabelo, que tem gosto de pêssego e chiclete. Exatamente como eu imaginava.

Ela fica ali sorrindo, os olhos arregalados, as covinhas brilhando. Tudo nela parece brilhar. Cinco anos atrás, Bailey era minha amiga, de verdade, não imaginária. Cinco anos é muito tempo. A gente não tinha quase nada em comum naquela época, e não sei o que poderíamos ter em comum agora. Mas digo a mim mesma: *Seja legal. Ela pode ser a única amiga que você vai ter.*

Bailey chama uma garota que está passando e diz para mim:

— Quero que você conheça a Jayvee. Jayvee, esta é a Libby.

Ela me cumprimenta.

— E aí, tudo bem?

O cabelo dela é preto e chanel, e ela usa uma camiseta que diz MEU NAMORADO É FICTÍCIO.

Bailey está radiante como um farol.

— Jayvee se mudou das Filipinas pra cá há dois anos. — Acho que ela vai explicar a Jayvee que estou voltando para a escola depois de muito tempo presa em casa, mas ela só diz: — A Libby também é nova aqui.

JACK

A quarta aula é química avançada com a Monica Chapman. Professora. Casada. E amante do meu pai. Via de regra, os professores são mais fáceis de reconhecer do que os alunos, porque 1) estão em menor quantidade; 2) mesmo os mais jovens usam roupa de velho; e 3) não tem problema se eu ficar olhando para eles fixamente (ou seja, tenho mais tempo para apreender suas marcas identificadoras).

Nenhuma dessas coisas me ajuda no caso da Chapman. Nunca tive aula com ela antes e tudo nessa mulher é *jovem* e comum. Quer dizer, se seu pai vai trair sua mãe, você espera que seja com uma pessoa tão deslumbrante que até alguém que não se lembra de ninguém a reconheceria. Mas não tem nada na Chapman que se destaque. O que significa que ela poderia ser qualquer uma.

Escolho um lugar no fundo, perto da janela, e alguém senta ao meu lado. Está com aquela cara de quem te conhece e espera o mesmo de você.

— E aí, cara? — ele diz.

— E aí?

De repente, um grupinho de meninas se separa e uma delas vai até a lousa na frente da sala. Olha para todo mundo e se apresenta. Quando me vê, seu rosto congela só por um instante, então ela volta a sorrir.

Depois que todos se acalmam, Monica Chapman começa a falar sobre as diferentes áreas da química, e tudo o que consigo pensar é na área que ela não menciona — a área responsável por seu caso com meu pai.

Eu descobri pelo Dusty. Foi ele quem viu a mensagem no celular. Estava jogado, para quem quisesse ver. Meu pai tinha saído de perto e o Dusty estava procurando coisas para colecionar — como eu, ele está sempre colecionando alguma coisa. Então me disse:

— Achei que o nome da mamãe fosse Sarah.

— E é.

— Então quem é Monica?

O babaca nem trocou o nome dela nos contatos do celular. Ali estava, claro como o dia, *Monica*. Para piorar as coisas, não era o celular de sempre, mas um que ele deve ter comprado só pra falar com ela. Descobrir *qual* Monica deu um pouco mais de trabalho, mas pode acreditar na minha palavra: é ela.

Agora Chapman começa a falar sobre físico-química, e eu levanto a mão.

— Alguma pergunta, Jack?

Várias, eu penso. Se conseguir falar alguma coisa vai ser um milagre, porque sinto que meu coração veio parar na garganta.

— Na verdade, só queria dizer o que eu sei sobre físico-química.

O cara do meu lado — que parece ser o Damario Raines — aprova com a cabeça, e algumas meninas viram para ver o que vou dizer. Elas são todas idênticas, e me pergunto se querem causar esse efeito ou se nem percebem isso. Acham que vou dar uma de espertinho. Consigo ver na cara delas. Ninguém sabe o que aconteceu entre Chapman e meu pai. Nem o Marcus, e prefiro que continue assim.

— Pode falar, Jack. — A voz da Chapman parece perfeitamente normal, alegre e segura, com um sotaque de Michigan ou talvez Wisconsin.

— A físico-química aplica teorias da física para estudar sistemas químicos, incluindo cinética química, ciência de superfícies, mecânica quântica, termodinâmica e eletroquímica.

Dou um sorriso ofuscante, que compete com as luzes do teto e o sol batendo nas janelas. Vou cegar a professora com essa merda de sorriso para ela nunca mais poder olhar para meu pai de novo. Uma garota a duas carteiras de distância sorri para mim, com o queixo encostado na mão, mas as outras parecem confusas e decepcionadas. O Cara Que Parece Ser o Damario diz olhando para a mesa:

— Cara...

Percebo naquela única palavra que sou uma decepção.

— Na verdade, acho que essa é a minha preferida, a eletroquímica. Nada como uma boa reação química, não acha?

Então pisco para Monica Chapman, que, pelos vinte segundos seguintes, fica sem palavras.

Quando consegue falar de novo, ela passa uma prova para "avaliar nosso nível", mas na verdade acho que é para mexer comigo, porque ela corrige tudo e depois diz:

— Jack Masselin. Devolva as provas.

Começou.

Saio do meu lugar, vou até a frente da sala e pego as provas com ela. Fico ali por um instante, tentando decidir o que fazer. Todos estão olhando para mim, e eu para eles. Vejo quatro pessoas com marcas claras. Três outras tenho quase certeza de que não conheço e não deveria conhecer (mas não absoluta). Oito estão na área cinzenta — mais conhecida como zona do perigo.

Posso andar pelas fileiras, tentando encaixar os nomes com os rostos. Posso aguentar toda a merda que vão falar assim que perceberem que não sei quem eles são. *Imbecil. Babaca.*

Ou posso fazer o que estou fazendo agora, que é segurar a pilha de papéis e dizer:

— Alguém aqui quer mesmo saber quanto tirou? — Foi uma prova surpresa, afinal, então ninguém tinha se preparado. Folheio o maço e percebo que a maioria das notas fica entre quatro e seis. Como eu esperava, ninguém levanta a mão. — Quem prefere aproveitar essa oportunidade pra prometer à sra. Chapman que vai se esforçar mais daqui para a frente?

Quase todo mundo levanta a mão. Elas estão presas a braços que estão presos a torsos que estão presos a pescoços que estão presos a rostos que flutuam na minha frente, estranhos e irreconhecíveis. É como estar *todos os dias* em uma festa à fantasia onde todos esperam ser reconhecidos.

— Quem estiver interessado pode pegar a prova aqui.

Deixo tudo em uma mesa vazia na frente da sala e volto para a minha carteira.

Quando o sinal toca, Monica Chapman diz:

— Jack, quero conversar com você.

Saio como se não tivesse ouvido e vou direto para a secretaria, onde digo que preciso mudar de turma de química avançada, apesar de o outro professor ser o sr. Vernon, que deve ter uns cem anos e é surdo de um ouvido. A secretária diz:

— Não tenho certeza se vamos conseguir, porque teríamos que reorganizar todo o seu horário...

Por um minuto, fico tentado a dizer *Esquece, vamos deixar como está.* Acredite, ficaria muito feliz em atormentar Monica Chapman durante um semestre inteiro. Mas penso no cabelo do meu pai caindo, em como a quimioterapia o fez emagrecer, no quanto ele parecia frágil, como se fosse desmoronar na nossa frente. Lembro como foi quase perder o cara. Parte de mim ainda o odeia, talvez odeie para sempre, mas ele é meu pai, no fim das contas, e eu não quero ter ainda mais ódio dele. Além disso, gosto de química. Por que estragar isso?

Me inclino sobre o balcão. Dou à secretária um sorriso que diz *Isto é para você e só para você.*

— Sinto muito pelo inconveniente, não quero atrapalhar, mas tenho certeza de que a sra. Chapman não vai se opor.

LIBBY

Decido pular o almoço. O que vem depois é educação física, e acho que não existe nenhuma gordinha no planeta, por mais confiante que seja, que não tenha pavor da educação física.

No geral, hoje poderia ter sido pior. Ninguém me proibiu de ir ao parquinho. Até agora só mugiram para mim e riram quatro ou cinco vezes e me encararam umas duzentas vezes. Muitas pessoas mal me olharam, e outras estão me tratando como se eu fosse qualquer uma. Fiz pelo menos uma amiga em potencial — talvez duas. Não tive nenhum ataque de pânico.

O mais difícil de tudo é algo que eu não esperava — ver pessoas que eu conhecia, com quem cresci, e saber que, enquanto eu estava presa em casa, elas estavam crescendo e indo à escola e fazendo amigos e vivendo. Sinto que sou a única que ficou estacionada.

Então não tenho vontade de comer. Em vez disso, sento do lado de fora do refeitório, no estacionamento, e leio meu livro preferido, *Sempre vivemos no castelo*, da Shirley Jackson. É sobre uma garota chamada Mary Katherine Blackwood. Quase todo mundo da família dela morreu, e Mary Katherine mora com a irmã, excluída da sociedade, presa em casa — não por causa do peso, mas porque um dia ela fez uma coisa horrível. As pessoas da cidade contam lendas sobre a garota e têm medo dela. Às vezes vão até sua casa escondidas para tentar ver Mary Katherine. Acho que a entendo de um jeito que ninguém mais entende.

Leio por alguns minutos, então fecho os olhos e jogo a cabeça para trás. É um dia quente e claro. Apesar de não estar mais presa em casa há algum tempo, acho que nunca vou ver a luz do sol o suficiente.

A educação física é pior do que eu imaginava.

JACK

É claro que é o Seth Powell quem diz:

— Andei lendo sobre um jogo…

Ou talvez tenha visto na internet, ele não lembra.

— O nome é Rodeio das Gordas.

E ele ri como se aquilo fosse a coisa mais engraçada que já ouviu. Quase cai da arquibancada.

— É assim: você chega em uma menina gorda e se joga nela como se estivesse montando um touro… — Seth se inclina para a frente, cobrindo o rosto, e então chuta a arquibancada três vezes como se isso fosse ajudar a recuperar o fôlego. Quando finalmente levanta a cabeça, seus olhos estão molhados. — Aí você se segura o mais forte que puder, aperta a menina pra valer… — Ele se inclina de novo e fica jogando o corpo para a frente e para trás. Olho para o Kam e ele olha para mim, como quem diz *Que cara idiota*.

O corpo de Seth chacoalha, e ele tenta se recompor.

— E quem… — As palavras saem com mais dificuldade. — Segurar por mais tempo… — Ele mal consegue respirar. — Ganha.

— Ganha o quê? — pergunto.

— O jogo.

— Tá, mas ganha o quê?

— O jogo, cara. Ganha o jogo.

— Mas tem um prêmio?

— Como assim um prêmio?

Seth é muito burro, pra falar a verdade. Suspiro como se carregasse o peso do mundo nas costas. Como se eu fosse a porra do Atlas.

— Se você for na barraca do tiro ao alvo da quermesse, eles dão, tipo, um panda de pelúcia ou alguma outra porcaria como prêmio.

— Quando eu tinha oito anos. — Seth revira os olhos para Kam.

Passo a mão na minha juba, deixando-a ainda maior e mais sinistra. Falo muito, *muito* devagar, como meu pai quando conversa com estrangeiros.

— Então. Quando você tinha oito anos e ia na barraca do tiro ao alvo e acertava, eles te davam alguma coisa.

Kam dá um gole no cantil que sempre carrega, mas não oferece pra ninguém. Ele ri debochado e comenta:

— Como se algum dia ele tivesse acertado.

Seth está me encarando, mas estica o braço e dá um tapa na cabeça do Kam. Pelo menos tem boa pontaria.

Seth revira os olhos para mim.

— Aonde você quer chegar?

— Qual é o prêmio pra quem ganha o rodeio?

— Ganhar!

Ele joga as mãos para o alto como quem diz *E precisa mais do que isso?*

A discussão poderia continuar por horas. Kam diz:

— É um caso perdido, Mass. Deixa pra lá.

Olho para Kam.

— Você já tinha ouvido falar do Rodeio das Gordas?

Ele fica em pé, dá mais um gole e por um segundo acho que vai me oferecer um pouco. Então fecha o cantil e guarda de novo no bolso.

— Ouvi agora.

De repente Kam desce da arquibancada e sai correndo na direção de uma garota que parece ter um pneu escondido embaixo da camiseta. Eu não a reconheço, mas, bem, eu não reconheço ninguém. Tirando o pneu, poderia ser minha mãe e eu não saberia.

A marca do Seth não é o fato de ele ser o único negro da escola que usa moicano. É a risada idiota. Porque ele é um idiota, está sempre rindo e eu reconheceria sua risada em qualquer lugar. A marca do Kam é o cabelo tão claro que ele parece albino. É a única pessoa que eu conheço com o cabelo daquela cor.

Não faço ideia de quem seja a garota, e o tempo todo fico pensando que o Kam não vai levar aquilo adiante. Ele só quer que a gente acredite que vai.

Mas de repente Kam agarra a garota, e de início parece que ela está feliz, porque é o Dave Kaminski, mas quanto mais ele se segura, mais ela fica irritada, e parece que ela vai começar a gritar ou chorar ou os dois.

Levanto. Quero mandar que pare. Os olhos de Seth estão fixos em Kam e na garota, e seu queixo cai.

— Cacete, cacete, cacete — ele diz, batendo no joelho.

Seth começa a rir e fala alguma coisa que parece *Você sabe que ela está curtindo*. E o tempo todo eu fico pensando: *Faça alguma coisa, babaca.*

Mas não faço nada. E bem na hora que ela vai explodir, o Kam solta. Então dá uma volta olímpica na pista.

— Quinze segundos — Seth diz quase sem ar. — É um recorde mundial.

LIBBY

A Libby Strout é gorda.

Estou trancada no banheiro depois da aula, a canetinha preta rangendo contra a parede. Tem uma embalagem de absorvente no chão e um tubo de gloss vazio, apesar de a lixeira estar *bem ali*. Um aviso em uma das cabines diz EM MANUTENÇÃO, porque alguém derrubou (enfiou) um livro de matemática no vaso. O banheiro cheira a odorizador e cigarro, entre outras coisas. A velha crença de que garotas são mais asseadas que os garotos? Não é verdade. É só visitar o banheiro do terceiro andar do MVB em Amos, Indiana, pra perceber isso.

Alguém está batendo na porta.

Estendo o braço e escrevo em letras grossas e o maior que posso para que todo mundo veja.

A Libby Strout é gorda.

Gorda e feia.

Ela nunca vai transar.

Ninguém vai gostar dela.

Olho meu reflexo no espelho e meu rosto parece uma beterraba, que minha mãe costumava dizer que era "um bom legume", apesar de saber que não tinha nada de bom nela. Minha mãe sempre fazia isso — tornava as coisas melhores do que eram.

A Libby Strout é tão gorda que tiveram que destruir a casa pra tirar ela de lá.

Palavra por palavra, foi o que ouvi Caroline Lushamp e Kendra Wu dizerem sobre mim na aula de educação física, enquanto as outras garotas só ouviam. E riam. Acrescento uma ou duas coisas, as piores em que consigo pensar, para não ter que ouvir de outras pessoas. Escrevo para que elas não precisem escrever. Assim, não há nada que possam dizer sobre mim que eu mesma não tenha dito.

A Libby Strout é a adolescente mais gorda dos Estados Unidos.

A Libby Strout é mentirosa.

Me afasto da parede.

Essas são as palavras mais verdadeiras de todas, e antes delas eu estava bem. Mas vê-las ali, como se outra pessoa tivesse escrito, me obriga a respirar fundo. *Você foi longe demais, Libbs,* penso.

Sim, sou gorda.

Sim, eles tiveram que destruir uma parte da minha casa.

Talvez nenhum menino se apaixone por mim ou me toque, mesmo em um quarto escuro, mesmo depois que uma praga terrível tiver varrido todas as garotas magras do planeta. Talvez um dia eu emagreça mais um pouco e tenha um namorado que me ame, mas ainda vou ser mentirosa. Sempre vou ser.

Porque em mais ou menos três minutos vou abrir a porta e andar pelo corredor e perguntar a mim mesma o que eu esperava, porque eu sabia que isso ia acontecer, que não tinha como ser diferente, que os outros não importam, que a escola não importa, que nada disso importa, é o interior que conta. Todas aquelas coisas que as pessoas gostam de dizer. Além do mais, faz muito tempo que parei de ligar.

Mas isso também é mentira.

Sessenta segundos depois, saio do banheiro e dou de cara com uma garota quase tão gorda quanto eu. Seus olhos estão arregalados, e meu primeiro instinto é sair do caminho.

— O que você estava fazendo aí dentro? Você trancou a porta? — ela grita.

— Deve ter emperrado. Você está bem? — pergunto com a voz suave e calma, esperando que isso a acalme também.

Ela chora e soluça muito, e demora um pouco para voltar a falar.

— Babacas.

Isso sai um pouco mais baixo.

Não preciso perguntar o que foi, só quem fez. Posso imaginar pelo tamanho dela.

— Quem? — pergunto, mesmo com a impressão de que não conheço ninguém na escola.

— Dave Kaminski e seus amigos desgraçados. — Ela me empurra para passar e vai até a pia, então abaixa, lava o rosto e molha o cabelo preto cacheado. Está com uma camiseta do Nirvana e um colar de balinhas. Pego uma toalha de papel e passo para ela. — Obrigada. — A garota seca o rosto. — Ele me agarrou e não me soltava mais, por mais que eu pedisse.

O Dave Kaminski que eu conhecia era um magrelo de doze anos com cabelo branco que um dia roubou o Johnnie Walker do pai e levou para a escola.

— Onde eles estão?

— Na arquibancada. — Ela ainda está soluçando, mas não como antes. Olha para a parede e começa a ler. — Mas que merda é essa?

Meus olhos seguem os seus.

— Pois é. Veja pelo lado bom. Pelo menos não é o seu nome na parede.

JACK

Kam ainda está correndo quando duas garotas vêm andando na nossa direção. Uma delas fica para trás, mas a outra atravessa o campo de futebol americano pisando forte. Por um segundo, nossos olhos se encontram. Então ela vai na direção do Kam.

No início, ele não a vê, o que é um milagre, porque a garota é enorme. Mas quando a nota ele apressa o passo, rindo e correndo para longe. Seth está sentado, observando atentamente, como um cachorro que percebe um esquilo. Com a voz baixa, diz:

— Mas o que…?

Quando a garota se aproxima, Kam corre, mas ela vai atrás. Agora estou de pé, porque essa é a melhor cena que já vi na vida. *Ela está voando.*

Seth começa a bater palmas como um idiota.

— Caralho.

Ele começa a gritar para o Kam e a gargalhar, chutando o ar e pulando na arquibancada. Torço pela garota.

— Corre! — eu grito, e é para ela, apesar de ninguém saber disso. — Corre! Corre! Corre!

De repente, Kam pula a cerca e foge para a rua, se afastando da escola. Como um gato, ela também pula, e a única coisa que impede que a garota o alcance é um caminhão que passa bem na hora. Ela fica parada na rua olhando para o Kam e então começa a andar, não correr, de volta para a escola. Atravessa o campo de futebol americano me olhando de novo. Não vira a cabeça, só me acompanha com os olhos. Ela parece realmente enfurecida.

SEIS ANOS ANTES

LIBBY

AOS 10 ANOS

Chego ao parquinho e Moses Hunt diz:

— Olha só, é a Libby Balofa.

—Você que é balofo — rebato, apesar de ele não ser. Mas até aí eu também não sou.

Moses Hunt olha de lado para os garotos que estão agrupados em volta, os que ficam o tempo todo ali, mesmo quando ele só está fazendo barulho de peido com o sovaco ou repetindo os palavrões que os irmãos mais velhos ensinaram.Volta a me encarar para dizer alguma coisa, e eu sei que não quero ouvir o que é, porque não tem como sair alguma coisa boa de uma boca que parece que engoliu um limão inteiro.

— Ninguém nunca vai gostar de você, sua gorda — ele diz.

Olho para minhas pernas e para minha barriga. Estendo os braços. Se sou gorda, não sabia disso. Fofinha, talvez. Um pouco cheinha. Mas sempre fui assim. Olho bem para Moses, para os outros meninos e para as meninas no balanço. Não pareço muito mais gorda que eles.

— Não acho que sou gorda.

— Então além de gorda você é burra. — Os meninos caem na risada. A cara do Moses se contrai, e ele abre tanto a boca que todos os pombos de Amos poderiam se aninhar ali. — *Gorda, baleia, saco de areia...* — Moses cantarola. — *Ninguém nunca vai gostar de você, rolha de poço...*

Você que é burro, penso, e começo a me afastar.Vou em direção aos balanços, onde vejo Bailey Bishop e outras garotas. Moses entra na minha frente.

— *Vaza, balofa...*

Dou um passo para o lado, mas ele entra na minha frente de novo. Então vou em direção ao trepa-trepa, em busca de paz, mas ele diz:

— Não vou deixar você subir. Pode quebrar.

— Não vai quebrar. Já subi nele antes.

— Talvez quebre agora. Talvez o parquinho inteiro caia. Você deve estar destruindo tudo só de ficar em pé aqui. Deve ter matado sua mãe sentando em cima dela.

Os meninos não param de rir. Um deles chega a rolar no chão.

Sou mais baixa que o Moses, mas fico encarando seus olhos escuros e cruéis. Só consigo pensar: *Pela primeira vez na vida, sei como é ser detestada por alguém*. Consigo enxergar o ódio, como se estivesse alojado nas pupilas dele.

Passo o resto do recreio encostada na parede me perguntando o que fiz para Moses Hunt me odiar tanto. Mas sei que, o que quer que seja, não tenho como consertar. Algo dentro de mim diz: *Ele nunca vai gostar de você, não importa o que você faça, não importa o quanto emagreça, não importa o quanto tente ser legal*. É uma sensação horrível. De que alguma coisa está mudando. De virar uma esquina e encontrar a rua escura e deserta, ou cheia de cães selvagens, e não poder voltar, ter que seguir em frente, em direção à matilha.

Ouço um grito agudo, e minha amiga Bailey Bishop pula do balanço como se quisesse voar, as pernas tocando o chão, o cabelo esvoaçando, dourado como os raios de sol.

Aceno, mas ela não me vê. *Ela não sentiu minha falta?* Aceno mais uma vez, mas Bailey está muito ocupada correndo. *Se eu fosse ela, também correria*, penso. Suas pernas são longas como postes. *Se eu fosse ela, nem tentaria descobrir onde estou. Só sairia correndo.*

HOJE

LIBBY

A garota se chama Iris Engelbrecht. Nos últimos cinco minutos descobri o seguinte: ela é gorda desde que nasceu, porque tem hipotireoidismo e uma coisa chamada síndrome de Cushing; seus pais são divorciados, ela tem duas irmãs mais velhas e todos na família têm problema de peso.

— Você precisa contar pra diretora.

Iris balança a cabeça.

— Não.

Estamos de volta à escola, só nós duas. Tento arrastar Iris para a sala da diretora, mas ela não quer.

— Eu vou com você.

— Não quero piorar as coisas.

— O que piora as coisas é o Dave Kaminski achar que pode fazer aquilo com você.

— Não sou como você.

O que ela quer dizer é: *Não sou corajosa como você.*

— Então eu vou embora.

Me afasto dela.

— Não. — Iris me alcança. — Quer dizer, obrigada por correr atrás dele, mas só quero esquecer tudo isso, e não vou esquecer se contar para a diretora. Vai acontecer o oposto. Vou ter que encarar isso o tempo todo, e não quero. É o primeiro dia de aula.

Mais uma vez consigo ouvir o que ela não está dizendo: *Não quero que isso me persiga o ano inteiro, mesmo tendo todo o direito de dar um soco na cara do Dave Kaminski.*

Encontro minha antiga tutora, Rachel Mendes, no parque. Nos encontramos todos os dias por dois anos. Ela foi a primeira pessoa, tirando meu pai, a falar comigo como se eu fosse uma garota normal quando estava no hospital. Mais tarde ela também se tornou minha cuidadora, e ficava comigo quando meu pai ia trabalhar. Agora é minha melhor amiga e nos encontramos uma vez por semana.

— O que aconteceu? — ela pergunta.

— Garotos. Idiotas. Pessoas.

Antigamente tinha um zoológico no meio do parque, mas foi fechado em 1986, depois que o urso tentou comer o braço de um cara. Tudo o que restou foi um banco de pedra largo, que era parte do habitat dele. É ali que sentamos, de frente para o campo de golfe. Estou com tanta raiva que minha cabeça parece que vai explodir.

— Um garoto fez uma coisa muito cruel, e a vítima não quer contar.

— Essa pessoa está em perigo?

— Não. O garoto provavelmente achou que seria inofensivo, mas ele não devia ter feito aquilo e precisa sofrer as consequências.

— A gente não pode lutar as batalhas das outras pessoas, por mais que dê vontade.

Mas a gente pode correr atrás dos babacas que mexeram com elas. Penso em como a vida era mais simples quando eu não podia sair de casa. Era assistir *Supernatural* o dia inteiro, ler, ler, ler e espionar os garotos da vizinhança pela janela.

— Como anda a ansiedade?

— Estou com raiva, mas estou respirando.

— E a alimentação?

— Não descontei na comida, mas o dia ainda não acabou.

E ainda tenho um ano inteiro de aula pela frente. Apesar de eu já estar me alimentando bem há quase três anos sem recaídas, Rachel e meus médicos têm medo de que eu possa me afundar numa alimentação compulsiva desenfreada depois de tanto tempo de privações. O que eles não entendem é que nunca foi pela comida. Esse não era o motivo. Não diretamente, pelo menos.

— O pior de tudo é que você sabe o quanto evoluí e eu sei o quanto evoluí, mas o resto das pessoas só vê como sou gorda ou como eu estava anos atrás, não quem eu sou agora — digo.

— Você vai mostrar pra todo mundo. Se tem alguém que pode fazer isso, é você.

De repente, não consigo mais ficar sentada. Isso acontece de vez em quando — depois de todos aqueles meses imóvel, ainda sou tomada por uma necessidade de mexer o corpo.

— Vamos girar — digo.

E é isso o que mais amo na Rachel. Ela simplesmente levanta e começa a girar, sem perguntar por quê, sem medo do que os outros podem pensar.

Véspera de Natal. Tenho quatro anos. Minha vó dá de presente pra minha mãe e pra mim saias gigantes — uma verde, a outra vermelha. São feias, mas rodadas, então usamos todos os dias até o Ano-Novo, girando o tempo todo. Mesmo depois que a saia deixou de me servir, continuamos girando em aniversários, Dia das Mães, qualquer data digna de comemoração.

Rachel e eu giramos até ficar tontas e caímos sentadas no banco de novo. Verifico minha pulsação sem que ela veja, porque tem a falta de fôlego boa e a ruim. Espero até sentir que meus batimentos normalizaram, até ter certeza de que estou bem, e digo:

— Você sabe o que aconteceu com o urso? O que ficava aqui?

Não o culpo por ter tentado arrancar o braço de alguém. Quer dizer, o cara enfiou o braço na jaula, que era tudo o que o urso tinha no mundo.

— Disseram na TV que ele foi mandado pra Cincinnati pra passar por uma "ressocialização".

— O que você acha que aconteceu de verdade?

— Acho que mataram ele.

JACK

Na parede, meu tatata-sei-lá-quanto-avô me encara de uma moldura enorme, com olhos severos bem abertos. De acordo com as histórias que ouvi, ele era um santo que dedicava a vida a esculpir brinquedos. Se for verdade, ele era uma espécie de Papai Noel de Indiana. Mas nessa foto é só um velho assustador.

Ele fica me olhando com aqueles olhos arregalados enquanto deixo uma mensagem de voz para o Kam:

— Estou aqui na boa e velha Brinquedos Masselin, te desejando uma boa volta pra casa. Me avise se precisar de dinheiro para uma passagem de avião.

Desligo e digo para meu tatata-sei-lá-quanto-avô:

— Não julgue um homem sem antes se colocar no lugar dele.

Estou no escritório da loja respondendo e-mails, verificando o estoque, pagando contas, um trabalho que eu poderia fazer dormindo. A Brinquedos Masselin está na nossa família há cinco gerações. Sobreviveu à Grande Depressão, à onda de tumultos por discriminação racial, à explosão do centro da cidade em 1968 e à recessão, e provavelmente ficará de pé muito tempo depois de meu pai ter morrido, de eu ter morrido, e da próxima era do gelo, quando os únicos sobreviventes forem as baratas. Desde que ele nasceu, todo mundo espera que o Marcus, confiável e obediente, assuma o negócio. Isso porque, por algum motivo desconhecido, todos esperam Grandes Coisas do Jack. Mas eu sei de algo que eles não sabem. *Esse vou ser eu um dia, morando nesta cida-*

de, administrando esta loja, casando, tendo filhos, falando alto com estrangeiros, traindo minha mulher. Porque o que mais eu seria capaz de fazer?

Meu celular vibra e é o Kam, mas antes que eu possa atender um homem entra (cabelo escuro e crespo, sobrancelhas escuras, pele pálida, camiseta da loja).

Meu pai limpa a garganta. É efeito da quimioterapia, além da audição prejudicada de um ouvido.

— Por que você desistiu da química avançada? — ele pergunta.

Como é que ele sabe disso? Aconteceu há poucas horas.

— Não desisti.

Eu sei como ele sabe. Monica Chapman provavelmente sussurrou em seu ouvido enquanto transavam no carro.

Antes que eu possa impedir, várias imagens começam a passar pela minha cabeça, partes de corpos nus, algumas pertencentes ao meu pai.

Ele pega uma cadeira e, enquanto senta, olho para o outro lado, porque não consigo tirar as imagens da cabeça.

— Não foi isso que ouvi. — *Enquanto transava com a Monica Chapman no laboratório de química. Enquanto a gente transava encostado no seu armário, em cima da mesa onde você almoça, na mesa de cada um dos seus professores.*

— Só mudei de turma — respondo, talvez meio alto.

— Qual era o problema da turma em que você estava?

Ele só pode estar brincando. Como tem coragem de me perguntar isso?

Não consigo evitar. Tenho que olhar nos olhos dele — o que me deixa ainda mais desconfortável do que essa conversa.

— Digamos que tenho um problema com a professora.

Os ombros do meu pai enrijecem, e ele sabe que eu sei, e o clima fica muito estranho. De repente não estou mais nem aí para os e-mails ou o estoque. Só consigo pensar em sair daqui. *Por que a Monica Chapman diria alguma coisa para ele se não estivessem mais juntos?*

Um garotinho magrelo e orelhudo está sentado na mesa da cozinha bebendo leite em um dos copos de uísque dos meus pais. Apesar de ele ser só uma criança, o jeito como está sentado me faz pensar em um velho que já viveu dias melhores. A bolsa está em cima da mesa.

Pego um copo, sirvo um pouco de suco e pergunto:

— Essa cadeira está ocupada?

Ele a empurra com o pé na minha direção e eu sento. Estendo o copo e Dusty bate o dele no meu, então bebemos em silêncio. Ouço o tique-taque do relógio de pêndulo no final do corredor. Somos os primeiros a chegar em casa.

Finalmente, ele diz:

— Por que as pessoas só fazem merda?

A princípio acho que ele sabe da minha conversa com papai, ou de mim, da pessoa que sou na escola, mas aí vejo a bolsa, onde uma das palavras mais feias que existem está rabiscada com canetinha preta. A alça foi rasgada.

Meus olhos voltam para Dusty.

— As pessoas fazem merda por vários motivos. Às vezes, são simplesmente pessoas escrotas. Às vezes, outras pessoas fizeram merda com elas e, apesar de não perceberem, tratam os outros como foram tratadas. Às vezes fazem merda porque estão com medo. Às vezes escolhem fazer merda com os outros antes que façam merda com elas. É uma autodefesa de merda. — Isso eu conheço bem. — Quem fez merda com você?

Dusty levanta a mão e faz que não com a cabeça. Não quer entrar em detalhes.

— Como que o medo levaria alguém a fazer merda?

— Talvez a pessoa não goste de quem ela é, mas tem aquela outra pessoa que sabe exatamente quem é e parece não ter medo de nada. — Olho para a bolsa. — Bom, isso pode ser intimidador e fazer com que a pessoa se sinta ainda pior consigo mesma, por mais que não devesse ser assim.

— Mesmo que a outra pessoa não queira fazer ninguém se sentir mal e esteja só sendo ela mesma?

— Exatamente.

— Isso é uma merda.

— Tem alguma coisa que eu possa fazer?

— Não seja um merda.

— Só posso prometer que nunca vou fazer merda com você, maninho.

Bebemos como dois velhos camaradas.

— Sabe de uma coisa? — digo depois de um tempo. — Acho que consigo arrumar essa bolsa pra você. Ou até fazer uma nova. Indestrutível.

Ele dá de ombros.

— Estou bem sem ela.

E o jeito como Dusty diz isso me faz querer comprar todas as bolsas do mundo para ele e começar a usar uma por solidariedade.

— E se eu fizer outra coisa? Algo que você sempre quis. O céu é o limite. O que quiser.

— Um robô de lego.

— Um que consiga fazer sua lição de casa?

Ele nega com a cabeça.

— Não... Isso eu faço.

Encosto na cadeira e coço o queixo como se estivesse pensando.

— Tá bom. Que tal um que arrume a sua cama?

— Não precisa.

— Um drone, então?

— Quero um que possa ser meu amigo.

É um soco no estômago. Quase me descontrolo, mas concordo com a cabeça, esfrego o queixo, esvazio o copo.

— Pode deixar.

LIBBY

Depois do jantar, eu e meu pai sentamos no sofá e mostro o último vídeo das Damsels, filmado há duas semanas em um festival em Indianápolis. As lantejoulas brilhando, os holofotes inundando o estádio de luz, a multidão aplaudindo. *Toda aquela cor. Toda aquela luz*. Talvez ninguém no mundo goste tanto disso quanto eu.

— Tem certeza que quer fazer isso? — ele pergunta.

— Não. Mas vou fazer mesmo assim. Você não pode me proteger de tudo. Se eu quebrar a cara, paciência, pelo menos tentei.

Entrego o formulário. Ele dá uma olhada, pega a caneta que está na mesinha de centro e assina. Quando me devolve as folhas, diz:

— Sabe de uma coisa? Ver você encarando o mundo de novo é mais difícil do que eu esperava.

JACK

Estou no porão, que é uma versão distorcida da oficina do Papai Noel, cheio de carrinhos e caminhões, bonecos do Sr. Cabeça de Batata, walkie-talkies e um monte de coisa da Fisher-Price. Tem alguns brinquedos descartados, mas outras coisas também, como partes de carros, motos, motores, cortadores de grama e eletrodomésticos. Qualquer coisa que eu possa transformar em outra. Alguns projetos foram terminados, mas a maioria está em andamento, a carcaça aberta, peças espalhadas por todo lado. É aqui que eu desmonto as coisas e monto de um jeito diferente. Como eu queria poder fazer comigo mesmo.

Meu celular vibra. É o Kam.

— Corri até Centerville, cara.

Dou uma risada corajosa e viril.

— A menina malvada te assustou?

— Cala a boca! Ela era muito rápida.

— Você está bem? Precisa conversar sobre o que aconteceu? — falo no tom que a mãe do Kam usa quando conversa com a irmã mais nova dele, que está sempre chorando e batendo portas.

— É isso, cara. A medalha de ouro.

— O quê?

— Ela. É o prêmio. O objetivo, pelo menos. Quem conseguir se segurar naquela garota ganha.

— Ganha o quê?

Mas eu já sei o que ele vai dizer.

— O Rodeio das Gordas.

As paredes da oficina começam a se fechar ao meu redor.

— Mass?

— Acho que não estou a fim de participar desse jogo.

— Como não?

Estou querendo dizer que não vou mais conversar sobre isso porque não estou gostando do rumo da conversa.

— Parece meio idiota. Cara, o *Seth* inventou essa parada.

Na dúvida, sempre, sempre coloque a culpa no Seth.

— O cara não inventou. Só contou pra gente. Uma coisa não tem nada a ver com a outra. Além do mais, é engraçado pra caralho. Qual é o seu problema? Ela quase me atropelou.

— O Seth é um imbecil. — Jogo a culpa nele mais uma vez enquanto tento pensar num jeito de acabar com isso antes que os caras humilhem todas as gordinhas da escola. Ninguém merece isso. Muito menos a garota que pulou aquela cerca e saiu correndo atrás do Kam. — Ela não merece isso.

— Deixa de ser trouxa. Parece até que você quer convidar a garota pro baile de formatura. Posso alugar a limusine?

— Só acho que a gente pode aproveitar melhor nosso tempo livre no último ano. Você viu as meninas novas?

Na dúvida, mencione garotas.

— Quando foi que você virou um bundão?

Fico quieto. Meu coração parece um tambor. *Diga alguma coisa, idiota.*

— Vamos fazer isso com ou sem você, Mass.

No fim, digo:

— Que seja, cara. Faça o que quiser.

— Muito obrigado, é isso que vou fazer, agora que você aprovou...

— Imbecil.

— Babaca.

É só o modo carinhoso como nos tratamos. O chão parece sólido, mas o resto do mundo vacila, como se tivesse sido construído sobre um fio de arame, quilômetros acima da superfície.

O que eu tenho a perder se mandar meus amigos praquele lugar

por Jack Masselin

1. **Kam e Seth.** Eles podem não ser os melhores amigos do mundo, mas são os únicos que consigo identificar quase sempre. Talvez porque os conheça há mais tempo, ou porque suas marcas são fáceis de enxergar na multidão. Qualquer que seja o motivo, eles são reconhecíveis. Imagine mudar para uma cidade onde você só conhece duas pessoas e *sempre vai ser assim*, não importa quantas outras você encontre.
2. **O mundo que montei para mim mesmo cuidadosamente dentro das paredes do Martin Van Buren.** Não foi irritando as pessoas que consegui ser o Jack Masselin. E, apesar de nem sempre gostar do Jack Masselin, preciso dele. Sem o cara, sou só um garoto ferrado com uma família ferrada e um futuro questionável. E, se você der uma chance às pessoas no ensino médio, elas te entregam aos lobos. (É de você que estou falando, Luke Revis.)
   Então... é isso.
3. **Eu.** É melhor eu não me perder.

LIBBY

Estou deitada na cama — não é a mesma em que eu passava as vinte e quatro horas do dia quando não podia sair de casa, mas uma nova que compramos depois que emagreci um pouco. Ponho os fones de ouvido e procuro a música "All Right Now". Eu a ouvi pela primeira vez no sexto episódio da primeira temporada de *Supernatural*. Toca no fim, quando Dean diz ao Sam que gostaria de ter uma vida normal.

Uma vida normal é o que eu sempre quis. É o que tentei criar na minha cabeça, deitada na cama. Quando o Dean-do-outro-lado-da-rua aprendeu a andar de skate, eu aprendi com ele, e a gente passava horas apostando corrida. Quando o Dean e o Sam jogavam beisebol no quintal, eu jogava também, e quando eles construíram um canhão de batatas na entrada da garagem, eu ajudei a pintar e brinquei com ele também. Nós nos divertíamos na casa da árvore, e sempre que os irmãos mais velhos deixavam o Castiel para trás, eu o levava para tomar sorvete e contava histórias para ele. Depois, voltava para casa e jantava com meu pai *e* minha mãe, porque, claro, era tudo imaginação, o que significava que qualquer coisa podia acontecer. Assim como eu podia ser o que quisesse, incluindo uma garota de peso normal.

Aumento o volume da música, que agora parece estar dentro de mim, correndo pelas minhas veias. Por mais raiva que eu tenha sentido hoje, não lembro de ter ficado ansiosa. Nada de palpitações, não suei de nervoso. O refeitório não rodou. Não parecia que minha cabeça estava sendo espremida por duas mãos gigantescas. Respirei normal, de maneira uniforme, por conta própria.

O formulário de inscrição para as Damsels está ao meu lado. Embaixo de *Que característica ou vantagem você pode trazer para nossa equipe que não encontraremos em outras candidatas?*, escrevi *Sou grande, atraio olhares e danço como o vento*. Em nenhum lugar perguntam meu peso.

Olho para o George atacando o cobertor e penso: *Sim. Muito bem. Esta sou eu. Nunca mais as coisas vão ficar bem, não como eram antes, mas estou me acostumando com isso. Talvez eu consiga ter aquela vida normal, afinal.*

JACK

Sento na frente do computador, tentando pensar no que dizer. Consigo enrolar nos trabalhos da escola, mas não sou nenhum escritor. Isso nunca importou muito até agora.

É o seguinte: apesar de tudo, meus pais são boas pessoas. Tudo bem, minha mãe mais que meu pai. Eles nos ensinaram a ser boas pessoas também e, mesmo que a gente nem sempre aja de acordo, está tudo dentro de nós, dentro de mim. O suficiente, pelo menos, para eu não querer que uma garota inocente seja humilhada pelos idiotas dos meus amigos.

E se eles fizerem alguma coisa ainda pior que o rodeio?

E se tentarem beijar a garota?

E se tentarem se aproveitar dela?

Na minha cabeça, passam as piores situações possíveis, e todas terminam com ela chorando.

Encosto a cabeça na mesa. Eu mesmo quero chorar agora.

Finalmente, decido.

Que se dane.

Levanto a cabeça e começo a escrever.

Não sou um merda, mas estou prestes a fazer merda. Você vai me odiar, outras pessoas vão me odiar, mas vou fazer isso mesmo assim, para proteger você e a mim mesmo...

NO DIA SEGUINTE

LIBBY

Iris Engelbrecht decide ir comigo até o refeitório. Por algum motivo — talvez nosso tamanho combinado —, ela anda cinco passos atrás de mim.

— Você ainda está aí, Iris?

— Estou.

Até essa mísera palavra soa triste e derrotada quando ela diz. Ela é o burrinho do Pooh do Martin Van Buren. E fala *muito* sobre peso. Definitivamente não estou interessada em ser a Porta-Voz Oficial das Gordas, que é exatamente o que a Iris parece achar que sou, além de Gorda Fodona Cheia de Atitude. É dez vezes pior do que ser a Gorda Atrevida ou a Melhor Amiga Gorda. É um papel que vem com muitas expectativas, e a última coisa que quero é me sentir responsável pela sobrevivência de outra pessoa no ensino médio.

Vou em direção à mesa onde Bailey Bishop está sentada com Jayvee de Castro, perto da janela, quando vejo Dave Kaminski, a cabeça branca coberta por um gorro preto. Iris puxa minha manga.

— Quero sair daqui.

Viro e começo a andar na direção oposta. A coitada da Iris vem atrás de mim. Dou de cara com um dos amigos do Dave Kaminski que estavam na arquibancada. Ele é alto e magro, tem a pele morena e um cabelo castanho-escuro que explode em todas as direções, como o sol.

Antes que eu saia do caminho, ele diz:

— Desculpa.

Seu olhar parece sério e preocupado, como se tivesse acabado de perder o melhor amigo.

— Imagina.

Dou um passo para o lado para que possa seguir em frente. Mas ele imita meu movimento. Então dou mais um, e ele também, e fico pensando que aquilo deve estar parecendo ridículo, até que ouço Dave Kaminski por cima do meu ombro direito:

— PUTA QUE PARIU, VAI COMEÇAR!

Por um segundo, acho que o garoto pode desmaiar na minha frente. Então ele repete:

— Desculpa.

E se joga em cima de mim, me segurando como se sua vida dependesse disso.

Fico tão surpresa que não consigo nem me mexer. Minha cabeça começa a rodar e lembro de uma viagem em família quando eu tinha nove anos. Eu, minha mãe, meu pai, meus primos e tios na praia na Carolina do Norte. Era um dia quente, e estávamos todos nadando. Eu amava meu maiô xadrez rosa e amarelo. Estava nadando quando uma água-viva agarrou minha perna. O monstrinho não me soltava e tiveram que me tirar da água e *arrancar* aquilo da minha perna. Eu achei que fosse morrer.

Bom, este monstrinho está me segurando com a mesma força, e no início não consigo fazer nada, só fico ali parada. O mundo parece congelado, e eu também. Tudo

d
e
s
a
c
e
l
e
r
a.

E para.

Simplesmente para.

Pela primeira vez em muito tempo, entro em pânico. Sinto o peito apertado. A respiração rápida demais. As mãos úmidas. O pescoço quente.

De repente alguma coisa me traz de volta à realidade — talvez o som dos gritos, das palmas e das vaias. Ou seriam mugidos? Que seja, de repente estou de volta ao refeitório e tem um garoto agarrado em mim como se fosse um casaco, os braços à minha volta.

— Não.

Reconheço minha própria voz, mas ela soa distante, como se eu estivesse do outro lado da escola, lá na biblioteca.

Fica claro que isso é algum tipo de jogo terrível. Abrace a Gorda ou algo assim. É pior do que ser proibida de entrar no parquinho, e de repente fico com tanta raiva que começo a tremer. Meu corpo inteiro esquenta, e tenho certeza de que ele percebe, já que está tão preso ao meu corpo quanto meus próprios braços e pernas.

Não perdi quase 140 quilos e deixei de comer pizza e bolacha para ser humilhada no refeitório da escola por esse babaca, penso.

— NÃÃÃÃÃÃO! — meu grito sai como um rugido.

Para alguém tão magro, ele é forte. Reúno toda a força que tenho para arrancá-lo de mim como um esparadrapo.

E dou um soco na boca dele.

JACK

Estou caído no chão do refeitório. A garota fica em pé me olhando. Parece que meu queixo foi arrancado da minha cara. Coloco a mão nele para me certificar de que ainda está ali, e minha mão fica cheia de sangue.

— Que merda é essa? — As palavras saem estranhas. *Caramba, acho que ela quebrou minha laringe.* — Por que você me deu um soco?

— POR QUE VOCÊ ME AGARROU?

Desvio o olhar para sua mochila, em cujo bolso acabei de enfiar a carta. Quero dizer *Você vai entender mais tarde*, mas não consigo falar, porque estou cuspindo sangue.

Posso não reconhecer as pessoas, mas todos os rostos no refeitório estão virados para nós, olhos arregalados, bocas abertas. A garota ainda continua ao meu lado. Do chão, eu digo:

—Vou levantar. Caso esteja pensando em me socar de novo.

Uma mão vem na minha direção, e é de um cara alto com um gorro preto idiota. Odeio essas coisas porque às vezes a única marca de alguém é o cabelo, e um gorro apaga isso, o que apaga a pessoa. Não tenho certeza se devo pegar aquela mão, mas ninguém mais está oferecendo uma, então deixo que me levante. Nessa hora, o filho da puta começa a rir.

A garota vira para ele.

—Você é um babaca.

Ele levanta as mãos como se ela tivesse sacado uma arma.

— Ei! Não fui eu quem te agarrou.

— Talvez não, mas tenho certeza de que você tem alguma coisa a ver com isso.

Isso me faz perceber que deve ser o Kam.

Então mais uma garota chega, parecendo brava, com uma pinta ao lado do olho, e parte pra cima da menina que eu agarrei.

— VOCÊ BATEU NELE? SUA VACA IDIOTA! ELE NÃO ESTAVA TE MACHUCANDO!

Só a Caroline Lushamp tem uma voz tão alta.

— Eu mereci. Não devia ter agarrado ela.

De repente estou defendendo a garota que me socou.

— *Ela* fez isso com *você*?

Um garoto aparece, queixo pontudo, cabelo bagunçado. Estou procurando em seu rosto algum sinal, mas todo mundo vem de uma vez só, e é um pesadelo, porque não sei quem é quem. Estão se aproximando de mim e querendo saber *o que aconteceu, se estou bem, vai ficar tudo bem, não se preocupe, Jack.* Quero que elas me deixem em paz e saiam daqui, porque eu deveria saber quem elas são e não sei, é como se tivesse amnésia. Estão me enlouquecendo e minha vontade é de mandar todo mundo se foder. É a garota que merece atenção, não eu. Foi minha culpa, não dela.

— O que aconteceu, Jax?

O cara com queixo pontudo é meu irmão. Ele me chamava assim quando a gente era criança.

Mas não posso ter certeza, posso? Até bebês reconhecem as pessoas. Até os cachorros. Até o Carl Jumers, que ainda — quantos anos já passaram desde que a gente entrou na escola? — usa os dedos para fazer conta e ano passado comeu cocô de gato numa aposta.

Um segurança aparece, empurrando as pessoas. E um professor (cabelo grisalho, barba), que tenta controlar a multidão. Enquanto ele fala para as pessoas que o show acabou e elas precisam se dispersar, outra garota se aproxima andando rápido.

— Jack Masselin, o que aconteceu?

Ela examina meu rosto, e a esta altura não sei mais de onde vem o sangramento. Eu a conheço? Não tem nada nela que pareça familiar. Então alguém fala:

— Foi ele, srta. Chapman. Jack agarrou a garota.

Tiro a mão dela do meu queixo e digo:

— É *sra*. Chapman.

Olho bem nos olhos dela. Nesse momento, penso: *Vamos, me mostre do que você é capaz. Me mostre o que tem de tão especial.* Ela deve ser incrível de alguma forma, senão por que meu pai colocaria a família em risco?

Mas a única pessoa que se destaca na multidão barulhenta que me encara não é meu irmão ou a amante do meu pai. É uma garota que eu nem conheço, a mais gorda da escola.

LIBBY

A sra. Wasserman parece severa. Uma placa na parede diz que ela é diretora há vinte e cinco anos. Sento na frente dela, ao lado do garoto e de uma mulher que deve ser a mãe dele.

— Seu pai está chegando — a diretora diz pra mim.

De repente, sinto vontade de vomitar, porque voltei ao pior momento da minha vida. Eu estava no quinto ano, no meio de uma assembleia escolar, quando outra diretora veio até mim e me tirou do auditório na frente de todo mundo. Ela me levou até sua sala, onde meu pai estava esperando com um orientador da escola. Uma caixa de lenços enorme estava no canto da mesa, e foi nela que me concentrei. Era muito grande, como se tivesse sido inventada especialmente para aquele momento.

— *Sua mãe está no hospital e temos que ir pra lá agora.*

— *Como assim?*

Ele teve que repetir três vezes para que eu entendesse e mesmo assim achei que fosse uma piada horrível, que todos tinham se juntado por algum motivo para me pregar uma peça.

— Libbs?

Levanto a cabeça quando meu pai entra.

— Você está bem?

— Estou.

Alguém traz uma cadeira para ele, e a diretora conta o que aconteceu no refeitório.

A mãe do garoto olha para ele como se fosse o bebê de Rosemary.

— Deve haver alguma explicação pra você ter feito uma coisa dessas — ela diz.

— Eu também gostaria de ouvir — meu pai diz.

A diretora interrompe os dois.

— Quero ouvir o Jack e a Libby.

Todo mundo olha para nós.

— Ele me agarrou.

— Como?

— Ele pulou em cima de mim e me segurou como se eu fosse uma boia e ele tivesse pulado do *Titanic*.

O garoto, Jack, limpa a garganta.

— Não foi exatamente isso que aconteceu.

Levanto uma sobrancelha.

— Não?

Mas ele não olha pra mim. Está muito ocupado tentando seduzir a diretora. Inclina o corpo para a frente e fala num tom de voz baixo, como se estivesse conspirando com ela.

— Foi idiotice. Uma grande bobagem. É só que... — Ele olha para a mãe. — Os últimos anos não têm sido fáceis. — Então volta a olhar para a diretora de um jeito muito intenso, como se estivesse tentando hipnotizar a mulher. — Não estou dizendo que o que eu fiz tem desculpa, duvido que exista alguma coisa que eu possa dizer que justifique o que aconteceu...

Ele é um encantador de serpentes, mas para minha sorte a diretora não é boba. Ela o interrompe e olha para mim.

— Eu gostaria de saber o motivo do soco na boca.

— Você deu um soco nele? — meu pai pergunta.

Como prova, o Jack aponta para o próprio rosto.

— Ele me agarrou — respondi.

— Tecnicamente, eu te abracei.

— Aquilo não foi um abraço.

— Por que você agarrou a Libby, Jack? — a diretora pergunta.

— Foi burrice. Eu não tinha intenção. Não estava tentando assustar ou provocar você. Eu queria ter um motivo melhor, juro. — O tempo todo, os olhos dele estão dizendo: *Você vai me desculpar. Vai esquecer que isso aconteceu. Vai me amar como todos me amam.*

— Você se sentiu ameaçada, Libby?

— Não me senti bem, se é isso que você está perguntando.

— Mas você se sentiu ameaçada? Sexualmente?

Ai, meu Deus!

— Não. Só humilhada.

E agora mais ainda, obrigada.

— Porque não toleramos assédio sexual aqui.

A mãe do Jack inclina o corpo para a frente.

— Diretora, sou advogada e estou tão preocupada quanto você, se não mais, com o que aconteceu aqui hoje, mas enquanto nós não...

— Quero ouvir o Jack e a Libby — a diretora repete.

Ao meu lado, sinto a vida do garoto se esvaindo. Olho para ele, que parece uma concha, como se alguém tivesse sugado cada mililitro do seu sangue. Qualquer que tenha sido o motivo idiota pelo qual me agarrou, sinto que não queria ter feito aquilo.

Então, digo:

— Não foi uma coisa sexual. Mesmo. Não me senti ameaçada nesse sentido.

— Mas você bateu nele.

— Não porque me senti assediada.

— Então por quê?

— Porque ele me agarrou de um jeito não sexual, mas ainda assim muito humilhante.

A diretora cruza as mãos sobre a mesa. Os olhos dela estão fixos em nós de um jeito que parece que ela nos transformaria em pedra se pudesse.

— Levamos muito a sério brigas dentro da escola. Vandalismo também. — Demora um pouco para eu entender do que está falando. Ela mostra uma foto, mas não preciso olhar porque já sei o que é. A diretora diz para o Jack: — Você sabe alguma coisa sobre isso?

Ele se inclina para a frente para estudar a foto.

— Não, senhora, não sei.

Senhora.

Meu pai também se inclina.

— Posso ver?

Quando ele pega a foto, a diretora diz:

— Infelizmente, alguém escreveu sobre sua filha em um dos banheiros da escola. Garanto que vamos resolver isso.

Ela volta a olhar para o Jack. A mãe dele também. E meu pai, com a boca tão tensa que parece que vai ter um troço.

O desejo de ser invisível me invade. Fecho os olhos, como se fosse ajudar. Quando abro de novo, ainda estou ali, e todo mundo me encara.

Meu pai sacode a foto.

— Você sabe quem fez isso?

Quero dizer que não. Claro que não.

— Libbs?

As opções são: dizer que não sei, dizer que foi o Jack ou falar a verdade.

— Sim.

— Sim, você sabe quem fez?

— Sim.

Todos ficam esperando.

— Fui eu.

Eles ficam um minuto em silêncio.

O garoto assovia aliviado.

— Jack! — a mãe o repreende.

— Desculpa, mas… — Ele assovia de novo.

O queixo da sra. Wasserman cai, e consigo imaginar a diretora sentada com o marido mais tarde, falando sobre como os adolescentes mudaram, sobre como ela fica mal, como é bom que esteja quase se aposentando, porque não sabe se consegue fazer isso por muito mais tempo.

— Por quê, Libby? — meu pai pergunta.

E talvez seja o fato de ele dizer "Libby", e não "Libbs", mas por algum motivo idiota quase começo a chorar.

— Porque alguém ia escrever.

E de repente me sinto nua, como se estivesse sobre uma mesa de dissecação, as entranhas expostas para o mundo. Nunca vou conseguir explicar para alguém que não seja meu pai a importância de estar preparada, de estar sempre um passo à frente de tudo e de todos.

— Melhor ser o caçador do que a caça. Mesmo que a caça seja você mesma.

Meu olhar encontra o do Jack.

— Algo do tipo.

— E aí eu chego e comprovo sua teoria.

Nos encaramos durante alguns segundos, então desviamos o olhar. Ficamos sentados ali, nós cinco, no silêncio mais desconfortável da minha vida, até que a diretora diz:

— Existem várias punições que eu poderia aplicar neste caso. Suspensão. Expulsão. Escolas em Rushville e New Castle chegaram a chamar a polícia local.

— Que tal deixar que minha punição seja a escola inteira ver uma garota me dando um soco? — Jack sugere.

— Ou podemos processar você por bullying — a diretora retruca.

A mãe do Jack quase cai da cadeira.

— Antes disso...

A diretora a interrompe.

— E você, Libby, pela agressão.

— Foi autodefesa! — Minha voz sai muito alta. — O soco que eu dei nele, no caso. — Embora o mesmo possa ser dito quanto ao banheiro.

A diretora faz sinal com a cabeça, apontando para o Jack.

— Ele já tinha saído de cima de você quando bateu nele?

— Só porque *eu* o tirei de cima de mim.

Ela balança a cabeça e suspira longamente.

— Não vou tomar nenhuma decisão agora. Quero conversar com

testemunhas. Preciso analisar os arquivos de vocês, pesar as opções. Mas quero deixar claro que tenho tolerância zero com violência, bullying ou qualquer coisa que *indique* assédio sexual. — Ela olha para o Jack, depois para mim. — E também com vandalismo.

JACK

Mandam Libby e eu esperarmos do lado de fora. Assim que saímos, o segurança e o professor barbudo entram com dois alunos, sabe Deus quem, talvez meu próprio irmão. Libby e eu sentamos um ao lado do outro. Fico olhando para a porta que leva para o corredor principal, e só consigo pensar: *Por favor, que a Monica Chapman não entre, não com minha mãe lá dentro.*

Libby vira para mim.

— Por que você fez aquilo?

Quero responder *Leia a carta*, mas agora o que escrevi parece a segunda pior ideia que tive na vida.

— Você nunca fez nada maldoso ou idiota sem pensar? Alguma coisa de que se arrependeu imediatamente? — Ela não responde, então continuo: — Às vezes as pessoas simplesmente fazem merda. Às vezes porque estão com medo. Às vezes elas escolhem fazer merda com os outros antes que possam fazer merda com elas. É uma forma de autodefesa de merda.

Porque meu cérebro é ferrado. Porque eu *sou todo ferrado.*

— E por que eu? Se é que eu quero saber.

—Você não quer.

De jeito nenhum vou mencionar o Rodeio das Gordas.

Ela revira os olhos.

— Acha que eles vão suspender a gente? Expulsar? — pergunta, olhando para o outro lado da sala.

— Não. Vai ficar tudo bem.

Para ser sincero, não tenho certeza disso.

Ela olha pra mim de novo e sorrio, apesar de estar me odiando. Meu lábio começa a sangrar.

— Está doendo?

— Sim.

— Que bom.

Mais ou menos uma hora depois, a porta do escritório se abre, e a diretora (cabelo grisalho curto, óculos) faz sinal para entrarmos. Dois homens estão encostados na janela — um deles é gigante e o outro bem magrinho. O pai da Libby fixa o olhar em mim. Ele tem os ombros largos, como Charles Bronson, e tenho vontade de dizer *Sinto muito, senhor*.

Libby e eu sentamos nas mesmas cadeiras de antes. Eu e minha mãe (ela usa o cabelo de dois jeitos, e hoje está preso) nos olhamos, e ela balança a cabeça. Posso não reconhecer rostos, mas sei quando alguém está decepcionado e furioso, como ela agora. Penso em todas as vezes que me disse que as pessoas iam ser ainda mais cruéis comigo por causa da minha aparência, e que eu devia ficar longe de encrenca. Sei que a decepcionei, e que ela vai dizer que decepcionei a mim mesmo.

A mulher de cabelo grisalho apoia os cotovelos na mesa e inclina o corpo para a frente.

— Não vou suspender nem expulsar vocês. Não desta vez. Os dois vão fazer serviço comunitário juntos para a escola. Vocês vão pintar as arquibancadas e os vestiários. O sr. Sweeney vai supervisionar o trabalho. — O gigante acena. — Vocês também vão encontrar um orientador todos os dias depois da aula pelas próximas semanas. A Roda de Conversa tem sido usada de forma eficaz em cada vez mais escolas pelo país, e acredito que também vai funcionar aqui. É importante que vocês aprendam com a experiência e um com o outro. O sr. Levine — o cara magro acena — é especializado em algumas das questões mais comuns que afetam os adolescentes hoje, incluindo bullying, preconceito e assédio sexual.

Limpo a garganta, que ainda dói.

— Não acho justo punir a Libby por uma coisa que eu causei. Prefiro ser punido por nós dois.

— Você é inacreditável — diz a Libby.

— O que foi?

— Você não pode ser o vilão *e* o herói.

— Obrigada, Jack — a diretora diz —, mas a Libby também desrespeitou as regras.

Quando saímos, tento dizer *Sinto muito* mais uma vez, mas o pai da Libby coloca o braço sobre seus ombros e a afasta dali.

No estacionamento, minha mãe diz:

— Vamos falar sobre isso em casa, Jack Henry. — Ela não usa meu nome do meio há anos. Sai dirigindo sem dizer mais nada.

Vou direto para a Brinquedos Masselin, na esperança de evitar todo mundo — principalmente meu pai. Mal me ajeito atrás da mesa do escritório quando alguém entra.

— Fiquei sabendo do que aconteceu hoje. O que você tem na cabeça?

Digo que não sei, que era para ser uma brincadeira, que era uma ideia muito idiota, que eu não queria ter feito aquilo, e todas as outras coisas que passei as últimas horas repetindo.

— Eu e sua mãe estamos decepcionados.

Como se ele precisasse dizer isso. Quero dizer: *Também estou decepcionado com você.* Mas, em vez disso, falo:

— Eu sei. Sinto muito.

Quando finalmente fico sozinho, ligo o celular. Imediatamente chegam mensagens de voz e de texto. Caroline, Seth, Bailey Bishop, Kam e mais ou menos outras cem pessoas, incluindo o Marcus, todas querendo saber o que aconteceu.

Bailey Bishop chora porque não acredita que eu tenha sido capaz de fazer uma coisa tão cruel com outro ser humano. Caroline fala principalmente sobre si mesma, mas meu irmão realmente quer saber se estou bem e o que aconteceu na diretoria.

A mensagem do Kam diz: *Parabéns, princesa. Você venceu. Escolha o lugar pra gente pagar o jantar da vitória. Mas me faça um favor e não apanhe de outras garotas até lá.* Então vem um minuto inteiro de gargalhada.

LIBBY

O rádio está ligado, mas baixo, e meu pai fala sem parar. Quando ele menciona a possibilidade de voltar a estudar em casa, interrompo:

— Não precisa se preocupar comigo. Sei me defender sozinha.

— Você deu mesmo um soco nele?

— Na boca.

Ele ri.

— Você está *rindo*?

— Acho que sim.

— Não deveria. Deveria me dizer que violência nunca resolve nada e tirar meu celular ou alguma coisa do tipo.

— Nunca mais soque ninguém. E se isso vai fazer você se sentir melhor, me dá seu celular.

Mas ele continua rindo.

Agora estou rindo também. E pela primeira vez em muito tempo, me sinto normal, por mais estranho que possa parecer. Nós dois nos sentimos normais. O que me faz pensar que o que aconteceu hoje não foi tão ruim assim, afinal, e talvez toda a humilhação e as horas de serviço comunitário e orientação foram compensadas por este único momento.

Quando chegamos em casa, meu pai diz:

— Não se deixe afetar por aquele garoto. Ele não pode destruir tudo o que você conquistou até agora.

— Não vou deixar. Vou levantar amanhã e ir pra escola de novo. — Olho para meu tênis e a citação escrita nele. — *Não dá para parar de viver.*

JACK

Encontro Dusty no quarto, jogando videogame. Está com fones de ouvido, e dá para ouvir a música escapando — Jackson 5, que ele só escuta quanto se sente muito mal.

Aceno para meu irmão, que levanta a cabeça e resmunga:

— O quê?

Faço sinal para que tire os fones. Exagero nos gestos, esperando que ria. Sou ignorado.

Começo a dançar. Dusty não consegue resistir à dança. A música é "Rockin' Robin", e não me seguro. Me jogo mesmo. Giro e me remexo pelo quarto. É como se estivesse em um clipe. Sou Michael Jackson em seu melhor. Sou o cara.

— Sou o cara — digo, alto o suficiente para ele ouvir. Sacudo a juba, fazendo com que fique enorme.

— Você não é o cara — Dusty diz, alto demais, como a gente faz quando está escutando Jackson 5 no volume máximo usando fones.

— Sou o cara.

Continuo com os passos de dança que ele me ensinou. Faço errado de propósito, porque sei que não vai conseguir se segurar. Ele me faz suar por mais trinta segundos, então levanta, tira os fones e começa a me corrigir.

Dançamos juntos e é incrível, mas aí a música acaba, Dusty se joga na cama e lança um olhar que me diz que só estamos juntos na pista.

Só para confirmar o que o olhar diz, ele repete:

—Você não é o cara.

— Acho que não.

Sento ao lado dele e ficamos os dois olhando para o chão.

— E aí? Qual foi o motivo pra você fazer essa merda?

Penso em todos os motivos que listei antes: às vezes simplesmente somos escrotos, às vezes outras pessoas fizeram merda com a gente, às vezes fazemos merda por medo, às vezes fazemos merda com os outros antes que façam com a gente, às vezes não gostamos de quem somos e tem aquela outra pessoa que sabe exatamente quem é, e isso pode fazer com que a gente se sinta ainda pior consigo mesmo.

—Talvez todos eles. Mas eu falei a verdade. Nunca vou fazer merda com você.

Então ele olha pra mim e poderia simplesmente ter dado um soco no meu lábio já aberto, porque diz:

—Você precisa consertar isso.

— Eu sei.

LIBBY

Meu pai me encontra na cozinha, comendo em pé, o que não fazemos mais. É uma das novas regras de alimentação que seguimos, como não comer em frente à TV, não comer rápido demais e parar com sessenta por cento de satisfação.

Quando o vejo, largo o prato. Qualquer que seja a origem da dor — o coração, o estômago —, a comida não está chegando nela.

Quando minha mãe foi para o hospital, fiquei vazia. Foi como se todo o meu interior tivesse ido embora pelo ralo. No hospital, fiquei segurando a mão dela até minha vó chegar, junto com meu pai e o resto da família. Todos eram doces e amáveis, apesar da tristeza, mas nenhum deles como minha mãe. Nem todos eles juntos podiam. Não chegavam perto disso.

Meu pai olha para o prato, mas não comenta nada. Em vez disso, fala:

— Bailey Bishop veio ver você.

Bailey está de pé no meu quarto, a cabeça virando para todos os lados, o cabelo absorvendo a luz como se a quisesse toda para si.

— Faz tanto tempo. — Ela se abaixa e faz carinho no queixo do George, que deixa, o que é surpreendente. *Traidor*, penso. Bailey continua: — Você já tinha o gato naquela época?

— Ganhei com oito anos. — Minha mãe e eu o escolhemos, ou ele escolheu a gente. Fomos a uma feira de doação, e o George fugiu da gaiola e se enfiou na bolsa da minha mãe. — Era pra ele ter morrido há quatro anos, mas ainda não está pronto pra partir.

Na última vez que a Bailey esteve na minha casa, tínhamos dez anos. Eu a convidei, junto com a Monique Benton e a Jesselle Villegas, para dormir. Nós quatro ficamos acordadas a noite toda conversando sobre garotos e contando nossos maiores segredos. O da Bailey era que ela tinha tentado dar o irmão quando ele nasceu. O meu era que às vezes espionava os garotos que moravam do outro lado da rua. Isso foi antes de Dean, Sam e Castiel virarem meus únicos amigos.

Bailey se ajeita, concentra toda a sua baileydade em mim e diz:

— Sinto muito por nunca ter vindo te ver. Devia ter feito isso. Quando estava aqui. Bom, não aqui, mas na sua casa antiga.

Isso me abala, e fico parada ali como um poste. *Como ela consegue ser tão legal e ainda ter um cabelo desse?* Finalmente, respondo:

— Tudo bem. Não éramos melhores amigas nem nada do tipo.

— Mas éramos amigas. Eu devia ter vindo.

Será que eu a abraço? Será que digo que tudo bem? Será que menciono que ela devia ter aparecido muito tempo antes, quando eu ainda não estava presa na minha própria casa, assim que meu pai me tirou da escola e me deixou ficar em casa?

Ela continua:

— Tenho que te contar uma coisa horrível, mas não quero que você ouça na escola.

De repente, parece que ela vai chorar, e a princípio acho que vai me contar que está morrendo, ou talvez que eu esteja.

Então ela fala sobre o jogo. Que eu era o grande prêmio de uma coisa chamada Rodeio das Gordas, que tinha se espalhado pelas redes sociais como um vírus. Todos estão infectados, e meus dois mil colegas e muitos, muitos estranhos estão participando em peso (sacou?) e escolhendo o Time da Libby ou o Time do Jack.

Alguém postou uma foto minha, que deve ter sido tirada logo que tudo aconteceu, porque estou no refeitório parecendo uma louca, com o punho ainda fechado, Jack Masselin no chão. Não dá pra ver a cara dele, mas a minha, sim (perigosamente vermelha, um pouco suada). Legenda: *Não mexa com a Balouca.* Tem setenta e seis comentários, e só alguns são positivos. O resto diz o de sempre: *Se eu fosse gorda assim, ia querer me matar.* Ou: *Ela é bonita pra uma gorda.* Ou: *Só de olhar não quero comer nunca mais.* Ou simplesmente: *EMAGREÇA, SUA PUTA GORDA.*

É exatamente por isso que não tenho perfil nas redes sociais. Tantos comentários maldosos e desagradáveis e bullying disfarçados de *Só estou dando minha opinião, como a Constituição do nosso país maravilhoso permite que eu faça. Se você não gosta, não leia. Blá-blá-blá.*

Sou tomada por uma necessidade louca de jogar o celular da Bailey fora, jogar o meu celular fora e sair por aí pegando os celulares dos outros para jogar fora também.

— Talvez fosse melhor eu não ter dito nada — Bailey fala.

Ela rói as unhas e aperta os olhos cheios de lágrimas.

— Fico feliz que tenha falado.

Quer dizer, não *feliz*, é óbvio, mas eu ia descobrir de alguma forma e é melhor ouvir isso da pessoa mais gentil do mundo.

Desligo meu celular e o computador.

— Estou cansada de ler sobre mim mesma — digo, e Bailey concorda com a cabeça com aquele jeito de quem quer agradar. Meu coração começa a pular, o que significa que estou prestes a falar. Muito. — Pra começar, não existem muitos comentários novos a serem feitos sobre o fato de eu estar acima do peso. Já entendemos, galera. Vamos mudar de assunto.

Bailey balança a cabeça como louca.

— Sim, já entendemos.

— E essa coisa de "bonita pra uma gorda". Que porra é essa? Por que não posso ser só bonita e ponto? Eu não diria "Ah, a Bailey Bishop é bonita pra uma magrela". Quer dizer, você é só a Bailey. E é bonita.

— Obrigada. Você também é bonita.

E, ao contrário da Caroline e da Kendra, sei que ela está sendo sincera.

— E que *merda* é essa de achar que toda gorda é puta? — Ela se encolhe. — Desculpa. Mas por que automaticamente sou uma puta? Que sentido tem nisso?

— Nenhum.

— Se todo mundo que tem alguma coisa pra falar de mim passasse todo esse tempo, sei lá, *sendo gentil* ou *desenvolvendo uma personalidade ou uma alma*, imagine como o mundo seria.

— Muito melhor.

Fico tagarelando, tendo a Bailey como minha líder de torcida particular, até que perco o fôlego. Afundo na cama e digo:

— Por que as pessoas se preocupam tanto com meu tamanho?

Ela não responde, só pega minha mão e segura. Bailey não precisa responder, porque não existe resposta. Só que apenas as pessoas pequenas — pequenas por dentro — não aguentam o fato de alguém ser grande.

JACK

Nunca fiz um robô antes, mas estou determinado. Assisti a uns vídeos no YouTube. Consultei alguns livros. Já decidi que esse vai ser o melhor robô de Lego do mundo.

No meu aniversário de oito anos, pedi um martelo, chaves de fenda e alicates. Ganhei a primeira solda quando fiz nove anos. Ninguém sabe de onde vem essa necessidade de construir coisas. Meu pai sempre foi muito habilidoso, então pode ser que eu tenha herdado dele. Só sei que, desde criança, inventar coisas do nada é o que me acalma, como acontece com outras pessoas quando praticam ioga ou usam morfina. É por isso que temos um forno de pizza e uma máquina de arremesso de bolinhas no quintal, uma catapulta na garagem e uma estação meteorológica no telhado. Quando estou trabalhando em alguma coisa, vejo o objeto inteiro antes que ele exista, e construo o que imaginei. É o oposto exato do meu dia a dia.

Mas neste momento tudo o que eu vejo são peças, que é exatamente como acontece com o rosto das pessoas. Vermelhas aqui, azuis ali, brancas, amarelas, verdes e pretas. Uma hora deito em cima delas, bem ali no chão de concreto. É muito desconfortável, mas digo a mim mesmo: *Você não merece conforto, babaca.*

Imagino o que Libby Strout está fazendo agora. Espero que não esteja pensando em mim ou no que aconteceu hoje. Espero que de alguma forma consiga pensar em outra coisa. Qualquer coisa.

Ouço passos na escada do porão, e uma mulher aparece. Primeiro suas pernas, depois o resto. Imagino que seja minha mãe, porque, a não ser que meu pai tenha decidido trazer a Monica Chapman aqui, que outra mulher estaria na minha casa? Procuro as marcas. É a Mãe-de--Cabelo-Solto. Sua boca é grande. Ela é claramente negra. Tento construir seu rosto na minha cabeça, mas mesmo depois de localizar peças suficientes para dizer a mim mesmo *Tudo bem, é ela*, a imagem não se encaixa e não fica na minha mente. De repente me sinto velho e muito, muito cansado. É exaustivo ter que ficar procurando as pessoas que você ama.

— Nem preciso dizer como estou decepcionada com você — ela começa. — Ou como estou brava.

Olho para ela ainda deitado no chão.

— Não.

— Vamos esperar que decidam não prestar queixa. Você pode não se ver como negro e achar que as pessoas não te veem assim, mas é fato que os negros são tratados com mais severidade do que os outros, e eu não quero que isso persiga você pelo resto da vida. — Ficamos quietos enquanto eu penso no meu futuro desanimador e sem saída. — O que está fazendo?

— Estava me preparando pra construir um robô de Lego pro Dusty, mas neste exato momento estou pensando em como sou babaca.

— É um começo. Como você vai se redimir?

— Não acho que exista um jeito de me redimir. Depois do que fiz, só posso tentar não piorar as coisas.

— Você quer conversar? Tem alguma coisa que queira me contar?

— Hoje não.

E talvez nunca. Meu celular vibra no chão ao meu lado.

— Pode atender o celular. Você me conta amanhã.

Talvez.

— Eu te amo mesmo assim — ela completa.

— Eu também.

LIBBY

Quando Bailey vai embora já são quase nove horas. Ainda estou agitada, então danço um pouco e depois decido fazer lição de casa. Jogo o que tem dentro da mochila em cima da cama e separo papéis, cadernos, canetas, embalagens de chiclete e tudo o que enfiei lá dentro, incluindo *Sempre vivemos no castelo*, que carrego para todo lado.

Encontro um envelope branco na bagunça.

O que é isso?

Abro e começo a ler.

Não sou um merda, mas estou prestes a fazer merda...

Primeiro, acho que é zoeira. Leio a carta mais uma vez. E mais outra.

Não é fácil acreditar que a gente é o centro de tudo, principalmente quando alguma coisa dá errado? *Por que eu? Por que sou tão azarada? Por que o universo é tão terrível? Por que todo mundo me odeia?* Minha mãe dizia que, às vezes, outra pessoa é o centro das coisas, mas calhou de a gente estar ali. Às vezes, essa pessoa precisa aprender uma lição ou passar por determinada experiência, boa ou ruim, e a gente é só um acessório, como um ator coadjuvante em uma cena.

Talvez, só talvez, todo esse pesadelo seja mais sobre Jack Masselin do que sobre mim. Talvez tudo isso tenha acontecido para dar uma lição a ele sobre como tratar os outros.

Sento e fico pensando por um tempo. Era isso que minha mãe fazia — analisava todos os aspectos das coisas. Ela acreditava que nada era preto no branco.

Dez minutos depois, estou lendo tudo o que encontro sobre prosopagnosia, o que me leva a um artista chamado Chuck Close, ao neurologista e escritor Oliver Sacks e ao Brad Pitt. De acordo com a internet, todos eles têm isso. Cara, *o Brad Pitt*.

E se o mundo inteiro não conseguisse distinguir rostos?

Se fosse assim, haveria esperança para as pessoas comuns. Ninguém jamais diria *Você é muito bonita pra ser gorda* ou *Ela até que é bonita pra uma gorda*, porque a aparência não teria mais importância. As pessoas ainda ligariam se você tivesse sobrepeso ou fosse magro demais? Alto ou baixo? Talvez sim. Talvez não. Mas seria um passo na direção certa.

No spa, a gente tinha que tentar se colocar no lugar dos outros, como quando Atticus diz à Scout: *Você nunca vai compreender totalmente uma pessoa se não vir as coisas do ponto de vista dela... se não for capaz de se colocar na pele dela e permanecer ali por um tempo.* E a pele é tão fascinante — quer dizer, o modo como estica e encolhe. Eu costumava pesar duas vezes mais do que hoje — *duas vezes mais* —, e minha pele me servia naquele tempo e me serve agora. É estranho.

Tento me colocar na pele de Jack Masselin e imaginar o que ele vê quando olha pra mim. Eu pareço diferente de todas as outras pessoas? Ou sumo na multidão? Então imagino como seria se *eu* não conseguisse diferenciar rostos. *Como o mundo pareceria para mim?*

Abro um novo documento no computador. Escrevo:

Jack,

Obrigada por me explicar por que foi um babaca. Não acho que ter prosopagnosia te dê esse direito, mas pelo menos fico feliz em saber que você não é podre por dentro. Talvez haja esperança para você.

Libby

P.S.: Tenho perguntas.

JACK

Do outro lado da linha, o Kam diz:

— Queria que você tivesse visto. A cara que ela fez quando você se jogou em cima dela, e depois quando agarrou e não soltava mais.

Dou uma risada forçada, que soa como se eu estivesse sendo estrangulado.

— Cara, ela deve ter levado um baita susto.

— Foi que nem quando o Norman Bates interrompe o banho da mulher no *Psicose*. Então, o que a diretora disse?

— Ah, ela quase teve um orgasmo. Serviço comunitário e orientação. Por *semanas.*

— Que merda.

— Pois é.

— Mas valeu a pena.

— É fácil falar.

Ele ri de novo.

— Espera, é melhor do que você pensava.

Ótimo.

— Lembra quando tiveram que arrancar a porta da casa para tirar uma garota de dentro?

— O que tem?

— É ela.

— Quem?

— Libby Strout. Foi nela que você montou.

Me sinto como se tivesse levado outro soco na boca.

— Tem certeza? — tento dizer como se não ligasse nem um pouco, mas não é verdade. Ligo muito, e é por isso que sinto como se fosse vomitar em cima das peças de Lego.

— Absoluta. — Ele ri.

Dou outra risada forçada, mas sai ainda pior.

— Cara, você está meio rouco.

— Acho que a garota quebrou minha garganta.

— Então, você lembra dela?

— Lembro, sim.

Lá fora, a vizinhança está dormindo. Saio pela janela e subo numa árvore para chegar ao topo do telhado. Escalo até lá em cima, então ando até a calha, na beirada. Minha estação meteorológica está ancorada perto da chaminé, um pouco abatida e torta. Sem pensar, passo a mão na cicatriz na cabeça de quando eu tinha seis anos e caí do telhado.

Passo os dedos nela enquanto olho para o outro lado da rua. Se eu me concentrar, vou conseguir ver o buraco onde a entrada da casa dela ficava.

TRÊS ANOS ANTES

JACK

AOS 14 ANOS

Sonho que a rua está pegando fogo. Acordo com sirenes. Fico deitado ouvindo o barulho estridente se aproximar. Está tão escuro que parece o fim do mundo, mas de repente o teto fica vermelho e as sirenes param. Levanto da cama e começo a pegar algumas coisas na cômoda e nas estantes antes mesmo de entender o que está acontecendo.

Quando saio do quarto, tropeço e caio no corredor, onde escuto meu pai falar de dentro do quarto escuro:

— Não é aqui. Volte pra cama.

Mas o sonho foi *tão* real que ainda me sinto um pouco nele e sigo em frente. Do lado de fora, o ar está gelado, mas parece limpo. Nada de fogo ou fumaça. Ainda estou segurando as coisas que peguei — o relógio do meu avô, meu aparelho, um maço de figurinhas de beisebol, o carregador do celular (mas não o celular) — e, claro, nenhuma blusa de frio.

É na casa do outro lado da rua. Na frente tem uma fila de caminhões de bombeiro, uma ambulância e dois carros de polícia. Imagino que sejam traficantes, um laboratório de metanfetamina ou até um terrorista. Penso que seria irado ter um terrorista na nossa rua, porque Amos, Indiana, é um lugar muito chato.

Minha mãe aparece atrás de mim.

— Quem mora ali?

— Strom, Stein... — meu pai responde.

— Strout — corrige Marcus, que tem doze anos, quase treze, e sabe *de tudo*.

Antes que ele continue, digo:

— Eles mudaram há muito tempo.

A casa está vazia. A gente nunca vê ninguém entrar ou sair.

— Não mudaram, não — o Dusty, de sete anos, diz, pulando em uma perna. — Eu e a Tams fomos lá semana passada e olhamos pela janela.

— Dusty! — minha mãe o repreende.

— Quê? A gente queria ver a gorda.

— Não fale assim. É falta de educação.

— Minha professora disse que "gorda" é um adjetivo qualquer, como "linda" ou "bonita". São as pessoas que fazem com que seja uma característica feia, quando dizem coisas como "Escuta aqui, sua balofa" ou "Ei, olha lá aquela baleia".

Minha mãe olha para meu pai como quem diz: *Ele é assim por culpa sua.*

— Dustin! — ele o repreende, mas dá pra ver que quer rir.

— A sra. Buckley? — pergunto. Dusty olha pra mim, ainda em uma única perna, e faz que sim com a cabeça. — Faz sentido. — Ela é uma mulher bem grande.

— Jack! — Minha mãe suspira. Está sempre fazendo isso. — Vamos. Todos pra dentro. Está frio. Vocês têm aula amanhã. — Se não a interrompermos, ela vai listar cento e um motivos para sairmos dali.

Nesse momento, outro caminhão de bombeiros chega com aquela sirene estridente, e atrás dele vem um guindaste branco.

Um *guindaste*.

Acompanhamos em silêncio enquanto os bombeiros e a polícia e uns caras que parecem trabalhar com construção, que de repente parecem estar por toda parte, montam holofotes. A porta da frente abre e fecha, e as pessoas parecem formigas, se esbarrando pelo quintal e desaparecendo dentro da casa e bloqueando a rua. Agora, todas as luzes da rua estão acesas e todos os gramados foram cobertos por curiosos. Estamos exatamente na frente da casa, um lugar privilegiado.

Um homem vem até nós, com as mãos nos bolsos, olhando por cima dos ombros para aquela comoção. Ele fala comigo:

— Você acredita nisso?

Faz um gesto apontando a casa.

— Pois é — respondo.

— Eu achava que aquela casa estava vazia — meu pai diz para o homem, que agora está ao lado dele, e os dois ficam assistindo à cena.

O modo como interagem me faz pensar que talvez se conheçam, então minha mãe chama o cara de Greg e pergunta sobre sua filha Jocelyn, que estuda na Notre Dame, e percebo que é o sr. Wallin, o vizinho do lado.

Fico ali, cercado de caminhões de bombeiros e holofotes e daquele guindaste gigante, pensando no meu cérebro e em como ele é tão estranho e diferente do cérebro do Marcus ou do Dusty ou de qualquer outra pessoa que conheço. Tão estranho e diferente que faz um ano que estou escrevendo sobre ele — não a história da minha vida, mas um diário do tipo *Este sou eu, é isso que eu penso*, porque gosto de entender como as coisas funcionam. Outros cérebros são simples e descomplicados, e há lugar neles para o sr. Wallin e sua filha Jocelyn, enquanto o meu parece ser feito para coisas maiores. Beisebol. Física. Engenharia aeronáutica. Talvez a presidência. É por isso que não assisto muito a programas de TV ou filmes. Digo a mim mesmo que minha cabeça está muito ocupada com coisas importantes para guardar quem são os personagens.

Vejo uma van de um canal de notícias chegar, vinda de Indianápolis, e penso em terroristas mais uma vez. O que mais poderia ser?

LIBBY

AOS 13 ANOS

É como se eu estivesse sufocando.

Ser estrangulada deve ser assim.

Meu mundo balança e fica leve e flutuante. Talvez seja mais como a sensação de flutuar no espaço. Tento mexer a cabeça. Os braços. As pernas. Mas não consigo.

Quando eu era pequena, minha mãe costumava ler uma história sobre uma garota que vivia em um jardim e não podia sair dali. Era tudo o que conhecia, e para ela o jardim era o mundo.

Penso nessa garota enquanto tento respirar. Vejo a cara do meu pai, mas ele parece a anos-luz de distância, como se eu estivesse orbitando a Lua e ele estivesse na Terra. Fico tentando lembrar o nome da história.

De repente, sinto que preciso lembrar. É isso que acontece quando as pessoas morrem. Elas começam a desaparecer se você não tomar cuidado. Não de uma vez, mas um pedaço aqui, outro ali.

Pense.

O pai era italiano.

Rappaccini.

A filha de Rappaccini.

A garota tinha nome?

Tento levantar a cabeça para poder perguntar ao meu pai, mas, lá da Terra, ele diz:

— Não se mexa. A ajuda está chegando, Libby.

Libby não, penso. *A filha de Rappaccini. Estou aqui no meu jardim, e o mundo parou, e meu coração parou, e estou completamente sozinha.*

Então ouço alguma coisa que me traz de volta a este planeta, a esta cidade, a este bairro, a esta rua, a estas quatro paredes. O som do jardim sendo destruído, o som do meu mundo ruindo.

JACK

AOS 14 ANOS

Cinco horas depois, a parte de cima da casa tinha sido demolida por marretas e serras circulares. Os bombeiros ergueram andaimes e construíram uma ponte comprida e larga até o segundo andar. Fizeram suportes para evitar que o teto caísse e, quando o sol saiu, abriram uma lona preta e rodearam a casa com ela — talvez para manter a privacidade.

Está claro que alguma coisa precisa sair dali e, o que quer que seja, é grande.

Sento no telhado para poder ver por cima da lona. Uma maca enorme — não sei de que outra maneira chamar aquilo — é tirada do caminhão e levada para a ponte. Os bombeiros correm pra lá e pra cá, alguns seguram a maca no lugar. Então o guindaste avança e coloca sua garra dentro da casa.

A árvore na frente da janela do meu quarto de repente começa a chacoalhar e uma cabeça aparece. O garotinho magrelo se aproxima de mim.

— Chega mais pra lá — ele diz.

Vou um pouco para o lado e ficamos sentados ali juntos. Assistimos à garra subir, com um par de braços e um par de pernas dentro.

— Ela está morta? — Dusty sussurra.

— Não sei.

Os braços começam a se mexer e as pernas, a chutar. Parece o King Kong agarrando a Ann Darrow.

— Está viva — digo.

O guindaste segue até ficar sobre a ponte e todos aqueles andaimes, e então começa a descer em direção à maca. Muito gentilmente, como se estivesse jogando pega-varetas, ele solta os braços e pernas até revelar que pertencem a uma garota.

A mais gorda que eu já vi.

— Não falei? — Dusty diz.

LIBBY

AOS 13 ANOS

O céu está claro e ofuscante. É como se eu nunca tivesse visto a luz do dia. Ah, é lindo, e eu estou viva! Viva! Se eu morrer neste exato momento, pelo menos vi esse céu — todo azul e brilhante.

Meu peito ainda está apertado, mas sinto um pouco de alívio, porque esses homens e essas mulheres maravilhosos estão aqui e não estou morta e não vou morrer aqui, nesta casa. Não posso dizer que não vou morrer no jardim, mas pelo menos o ar é fresco aqui e consigo respirar e tem as árvores e o céu e os pássaros e ali uma nuvem, bem fofinha, e sinto o cheiro de alguma coisa, talvez flores. Quero dizer: *Olhem pra mim, Dean, Sam, Cas! Estou aqui fora, como vocês.* Eles são meus únicos amigos, apesar de não saberem disso. E ah, meu Deus, estou chorando de novo, mas aí acho que desmaiei, porque quando acordo estou chacoalhando em um caminhão, não em uma ambulância como uma pessoa normal. Olho para o metal sujo e de repente me sinto humilhada. Quantas pessoas foram necessárias para me tirar de lá?

Tento perguntar ao meu pai, que está sentado contra a parede de metal barulhenta, com a cabeça chacoalhando, mas seus olhos estão fechados, e eu não consigo dizer nada. *E se eu nunca mais falar?*, penso de repente,

Meu pai abre os olhos e me vê olhando pra ele, então sorri, mas não rápido o suficiente. Meu peito está apertando cada vez mais e não quero ficar dentro deste caminhão. Quero voltar pra minha cama, pro meu quarto, pra minha casa. Não quero ficar aqui fora, neste mundo.

Quero dizer: *Me leve pra casa, por favor, se é que resta alguma coisa dela*, mas de repente algo me domina, e é uma sensação de tranquilidade e paz, e é ela, é minha mãe. Respiro mais devagar, tentando fazer a sensação durar, tentando manter minha mãe comigo. *Viva, viva, viva, viva...* Penso nisso com muita força, até que tudo fica escuro. Enquanto apago, lembro.

A filha de Rappaccini.

Beatrice.

Esse era o nome dela.

JACK

AOS 14 ANOS

Quando chego da escola naquele dia, um carro de segurança está parado em frente à casa, e um guarda dorme tranquilamente atrás do volante. Verifico se alguém está olhando e entro.

Sobrou só metade da sala de estar. O sofá é enorme e está afundado no meio. Um porta-retratos está caído no chão com a foto para cima, um homem, uma mulher e uma garotinha. A criança está fora de foco, e dá pra perceber que ri. Ela tem um tamanho normal.

A cozinha também é normal. Está quase intacta, só com um pouco de poeira. Vou até a geladeira, porque não consigo evitar: quero ver o que tem lá dentro. Espero encontrar um banquete digno de Henrique VIII, mas são só coisas normais — ovos, leite, frios, refrigerante diet, suco. Na porta, um único ímã: BEM-VINDO A OHIO.

Ando pela casa inteira. É menor que a nossa, e não demoro muito para encontrar o quarto dela. Apesar de estar faltando parte da parede, não entro, porque parece falta de respeito. Fico na porta. As paredes — as que restaram — são lilás, e todas estão cobertas por estantes, do chão até o teto. Parece que os livros vão pular dali e tomar o quarto, talvez a casa inteira.

A cama fica no centro e parece feita por encomenda. É king-size e preenche quase todo o espaço. Fica sobre uma plataforma de metal — aço? — e ao lado tem um único par de chinelos. São eles que chamam a minha atenção. Parecem delicados, como se tivessem sido feitos para uma garota da idade do Dusty. Os lençóis têm margaridas, e estão jogados, como se um tornado tivesse passado por ali. Um dos travesseiros está no chão. Uma pilha de livros está ao lado da cama, e demoro um pouco para ver que há seis cópias da mesma obra, *Sempre vivemos no castelo*, de Shirley Jackson, com capas diferentes. *Ela deve amar esse livro*, penso.

Ao sair, tento não encostar em nada, com exceção de uma cópia do livro da Shirley Jackson e do ímã de Ohio, que levo comigo. Não sei por quê. Talvez façam com que eu me sinta mais próximo dela. Do lado de fora, o guarda ainda está dormindo, então bato no vidro para acordá-lo. Ele abre e eu digo:

— Fica esperto, cara. Imagino que tudo o que eles têm está nessa casa, e eles já passaram por muita coisa ruim para ainda serem roubados.

É claro que o livro e o ímã não contam.

Bato na porta do quarto do Marcus e entro. As paredes estão cobertas de pôsteres — principalmente de jogadores de basquete. Tem uma cesta pregada na porta do armário. Um garoto desengonçado e cabeludo está em frente ao computador, no meio de um jogo do tipo atirar-em-todo-mundo-e-explodir-geral.

Faço o de sempre: procuro sinais de que é meu irmão. O queixo pontudo, o cabelo bagunçado, a expressão melancólica. Procuro as peças e as disponho lado a lado, porque é assim que confirmo que é ele.

— Posso fazer uma pergunta?

— Fala...

Ele não tira os olhos da tela.

— Como você lembra tão bem das pessoas? Como sabe quem é quem?

— *Quê?*

— A Cegueta, por exemplo.

— O nome dela é Patrice.

— Que seja, Patrice. Como você a reconhece numa multidão?

— Ela é minha namorada.

— Eu sei que é sua namorada.

—Você sabe o que ela faria comigo se eu não a reconhecesse numa multidão?

— Sei, mas o que faz você perceber que é ela?

Ele para o jogo. Fica olhando pra mim por, tipo, um minuto inteiro.

— Eu só olho pra ela, ué. O que você tem? Está maluco?

Meus olhos vão para além dele, para as paredes cobertas de jogadores de basquete. Quero perguntar se ele consegue saber quem é quem sem ver o número ou o nome nas costas. Quando volto para Marcus, ele está me encarando. Suas feições mudaram e ele parece outra pessoa.

— Deixa pra lá. Estou só enchendo o saco.

Volto para o meu quarto e começo a folhear o caderno que mantenho escondido em uma gaveta. É nele que planejo e desenho os projetos que construo. Entre as ideias, os esboços e as listas de materiais, há passagens como estas:

Fui à Clara's Pizza com minha família. Me perdi voltando do banheiro. Levei um tempo para encontrar a mesa. Meu pai acenou para mim.

Eu estava tão cansado depois do jogo de sábado (ganhamos de lavada) que nem reconheci Damario Raines quando ele veio me dar os parabéns.

Vários comentários assim se espalham pelas páginas. Nada muito importante ou alarmante, mas então vejo todas juntas. Enquanto estou lendo, um sentimento me envolve como um cobertor, mas não do tipo quentinho e reconfortante. Está mais para um cobertor grosso e piniquento com que te cobrem antes de jogar o corpo num porta-malas.

Tem alguma coisa errada comigo.

De todas as pessoas do mundo, acho que a garota entenderia. Fico sentado ali durante toda a noite pensando: *Tomara que ela sobrevive.* E apesar de os noticiários não revelarem sua identidade, e de eu saber apenas seu sobrenome, escrevo uma carta para dizer isso a ela, guardo dentro do seu livro favorito e procuro o endereço do hospital na internet.

LIBBY

AOS 13 ANOS

O dr. Weiss é magro e alto e provavelmente não engordaria nem se quisesse. Ele está preocupado, acha que estou tentando me matar.

— Se eu quisesse me matar, teria escolhido um jeito mais rápido — digo.

Ele está ao lado da minha cama com os braços cruzados. É difícil saber o que está pensando, porque franze a testa e sorri ao mesmo tempo.

— Seu pai disse que você está presa em casa há seis meses — ele aponta.

— Depende de quando a gente começa a contar. Há cinco meses e vinte e quatro dias eu não passo pela porta. Mas meu último dia na escola foi há dois anos.

— Tem duas coisas importantes que a gente precisa entender aqui: por que você teve esse ataque de pânico e por que engordou. É isso que precisamos tratar. Vai ser um processo longo, mas vamos fazer com que fique saudável de novo.

Olho para meu pai, sentado na poltrona na minha frente. Ele sabe tão bem quanto eu o motivo. Eu mudei quando tinha dez anos. Sofri bullying, fiquei com medo. Muito medo, de tudo, mas principalmente da morte. Da morte repentina, do nada. E eu também morro de medo da vida. Tenho um vazio enorme no peito. Toco minha pele e meu rosto e não sinto nada. Foi por isso que passei a ficar em casa. E a comer. E acabei aqui. Mas isso não significa que quero morrer.

★

Um dia antes de deixar o hospital, a enfermeira traz um pacote sem remetente. Um monte de gente me manda cartas, mas não pacotes, e é só por isso que abro. Por isso e porque meu pai não está aqui para impedir.

Dentro tem um bilhete sem nome ou assinatura, e uma cópia do meu livro favorito. Na verdade uma das minhas cópias, com minhas iniciais na capa e os trechos que destaquei.

Achei que você ia querer isso. Ao contrário das outras cartas, esta é simpática. ***Quero que saiba que estou torcendo por você.*** Pela primeira vez em muito tempo, toco minha pele e sinto alguma coisa.

Quando a Rachel Mendes — tutora e cuidadora — chega, largo o livro e digo o que quero dizer faz tempo, mas ninguém quer ouvir. Abro uma das notícias no meu celular novo, meu primeiro celular, que meu pai me deu para que eu pudesse ligar para ele se precisasse de alguma coisa.

Abro minha foto, tirada no dia em que fui resgatada da minha própria casa.

— Não sou essa garota. Não é isso que eu sou.

Acho que Rachel vai entender isso porque ela fingiu ser hétero durante todo o ensino médio, apesar de ter percebido que era lésbica quando estava no oitavo ano.

— Essa não sou eu — repito.

Os olhos dela brilham.

— Ótimo! Vamos ver se a gente consegue encontrar quem você é.

HOJE

LIBBY

Abro meu armário antes da primeira aula e alguma coisa voa e cai no meu pé. É um pedaço de papel dobrado três vezes. Fico olhando para ele por um tempo porque, por experiência própria, papéis dobrados assim não são coisa boa.

Finalmente pego o papel e abro dentro do armário, onde ninguém vai ver.

Adolescente mais gorda dos Estados Unidos é resgatada

É um artigo da internet, e ali estou eu, numa foto desfocada, sendo empurrada pelo gramado na maca por bombeiros.

Do outro lado tem uma foto gigante da minha cara gigante tirada ontem no refeitório. Ao lado, alguém escreveu ***Parabéns por ter sido eleita a adolescente mais gorda do MVB!***

Fecho a porta e encosto a testa no metal do armário, porque minha cabeça está esquentando e estou ficando tonta — às vezes é assim que começa. *Foi assim que ela se sentiu no dia em que foi para o hospital? Foi assim que tudo começou?*

O metal me refresca por apenas um segundo, mas aí fica mais quente que minha pele e parece que vou me queimar. Me concentro em levantar a cabeça até que fique reta. O corredor balança. Abro o armário e me concentro nos meus livros e no meu cantinho do universo. Respiro.

*

Na primeira aula, o Mick de Copenhague conversa comigo, mas estou muito ocupada escrevendo uma carta avisando que vou sair da escola.

Diretora Wasserman,

Muito obrigada pela oportunidade. Infelizmente não vou poder continuar nesta escola porque está infestada de imbecis.

Risco a última parte e continuo:

devido a uma infeliz epidemia de imbecis.
infeliz epidemia de imbecilidade.

Pergunto ao Mick de Copenhague:

— O que você acha que soa melhor: "Uma infeliz epidemia de imbecis" ou "uma infeliz epidemia de imbecilidade"? Ou você acha mais forte "infestado de imbecis"?

Ele ri, e linhas como os raios do sol emolduram os cantos de seus olhos.

— Libby Strout.Você me deixa impressionado. É realmente encantadora.

Pelo menos alguém acha isso.

JACK

Este deve ser o pior dia da minha vida.

Você acha divertido assediar mulheres?

Acha que bullying é engraçado?

Transtornos alimentares não são brincadeira, seu babaca.

Quero responder: *Eu fiz essa merda exatamente pra reduzir os danos!*

Também está rolando muito:

Aquilo foi hilário. Você é corajoso, cara.

Boa! Foi incrível.

E:

Belo lábio, Mass. Como o outro cara ficou? Ah, espera... a OUTRA GAROTA!

Ei, Mass, não provoque a [*insira o nome de alguma garota bem pequena*], *ela pode acabar com você.*

A única notícia boa é que não sei quem está gritando essas coisas no corredor.

Caroline Lushamp segura minha mão entre a primeira e a segunda aula. Quando alguém grita alguma coisa, ela diz:

— Ignore.

De repente, ela é a Caroline de anos atrás, e me concentro na sensação de ter sua mão na minha.

LIBBY

Durante todo o dia, mais artigos aparecem no meu armário. Tento me concentrar no lado positivo — pelo menos meus colegas estão usando a internet para outra coisa além de mídias sociais e pornografia. Mas, sinceramente, isso não é muito melhor. Na quarta aula, já está claro que todo mundo, incluindo os zeladores, me conhece como A Garota Que Teve Que Ser Resgatada da Própria Casa. Sou a Maria Tifoide adolescente de Indiana. Em todas as aulas, sento sozinha, como se sobrepeso fosse contagioso.

Há muito tempo, quando eu recebia cartas de ódio, meu pai falou com um advogado que recomendou guardar tudo caso alguma coisa terrível acontecesse, como alguém me assassinar. Assim haveria um rastro de suspeitos.

Repórter: Você está preocupada? Teme por sua segurança?

Eu: Que bom que você perguntou isso. Talvez eu devesse estar assustada, mas sinceramente acho que as pessoas que escrevem essas cartas são mais dignas de pena do que de medo. Apenas covardes se escondem atrás de palavras maldosas e ameaçadoras.

Enfio os artigos na mochila. Não acho que alguém no MVB esteja planejando me matar, mas é melhor garantir.

Volto para o refeitório, apesar de ser o último lugar do mundo em que eu queria estar. Seiscentas cabeças viram para mim de uma vez.

Seiscentas bocas começam a sussurrar. Mil e duzentos olhos me seguem enquanto ando. Sinto minha respiração abandonar o navio, como se dissesse: *Cada um por si! Boa sorte, você está sozinha nessa.* Continuo sem ela, dando um, dois, três passos. Conto como me ensinaram.

São trinta e sete passos até a mesa redonda na janela, onde Iris, Bailey e Jayvee de Castro estão sentadas. Agarro a cadeira e ela parece tão sólida e firme que quase me mantenho em pé, agarrada a ela com toda a força. Mas então sento e digo:

— Isso foi divertido.

— Conheço Jack Masselin desde o sétimo ano e não consigo acreditar que tenha feito isso — Bailey diz bem baixinho, porque todos em volta estão tentando nos ouvir. — Tudo bem, ele não é um aluno exemplar, e teve aquela vez que ele e o Dave Kaminski trancaram um garoto do primeiro ano no telhado do lado de fora do banheiro masculino do segundo andar…

— Walt Casey — Jayvee diz balançando a cabeça, e seu cabelo chanel acompanha o movimento. — Pobre Walt.

Iris congela.

— O que tem ele?

— Walt é só… deslocado. — Jayvee olha para o outro lado do refeitório, para um garoto que imagino que seja o Pobre Walt Casey, sentado sozinho. Como se quisesse ilustrar a fala dela, ele começa a cutucar o nariz.

Bailey continua falando:

— Mas, tipo, se vocês me contassem o que aconteceu e me pedissem pra adivinhar quem fez, eu nunca diria que foi o Jack Masselin. Nunca. Tem muitos outros nomes que eu falaria antes dele. Dave Kaminski é um, e Seth Powell. E os Hunt, claro. Reed Young, Shane Oguz, Sterling Emery… — e ela continua, citando todos os garotos da história do universo.

— Acho que ele está muito arrependido.

As garotas olham pra mim.

— Ele não pensou a respeito. Fez uma coisa idiota e está se sentindo mal.

Iris me interrompe:

— Você está defendendo o cara?

— Só estou me colocando na pele dele.

— Bem Atticus Finch da sua parte — Jayvee diz, e levanta a mão para que eu bata. — Se fosse comigo, eu acabaria com ele.

Jayvee acabaria com qualquer um que a irritasse.

— Vocês nunca se arrependeram de algo que fizeram? — pergunto olhando para Bailey.

— A foto do anuário do ano passado conta? — Jayvee diz.

Cutuco minha comida — o almoço que meu pai preparou com tanto cuidado — e a empurro para o lado. Não consigo comer. Não aqui com todo mundo me olhando. Iris pergunta:

— Vocês souberam da Terri Collins? Ela vai embora pra Minnesota.

Jayvee balança a cabeça.

— Pobre Terri.

— Ela é das Damsels, né?

Jayvee levanta o dedo.

— *Era*.

JACK

No refeitório, Kam e Seth e os outros idiotas que eu chamo de amigos não falam de outra coisa. Seth está contando cena a cena para quem não viu.

— Caramba, Mass — um dos idiotas diz, e ouço admiração na voz dele, assim como a vejo estampada em sua cara.

Levanto um canto da boca, como se fosse bom demais para sorrir totalmente, e ergo os ombros como quem diz *Que seja, cara, não foi nada de mais.*

— É por isso que eu sou eu e você é você.

Seth ergue a mão e eu bato, depois volto a olhar para a garota gorda perto da janela, que tenho quase certeza de que é Libby Strout.

De repente sinto que Kam está me observando.

— O que você está olhando?

— Nada.

Ele vira para a janela, fica olhando por alguns segundos e então volta a atenção para mim.

— Sabe, às vezes não te entendo. Você é tão babaca quanto a gente? Ou tem um coração batendo aí nesse seu peito magrelo?

Dou um sorriso falso.

— Não tem como eu ser tão babaca quanto vocês.

E é por isso que gosto do Kam, apesar de tudo. Ele não é bobo e, um dia, daqui a quinze ou vinte anos, pode virar um cara legal. Não posso dizer o mesmo dos outros.

Eles ficam me parabenizando, dizendo como sou engraçado, e me sinto cada vez menor, então uma garota se aproxima, seguida por um grupinho, e elas parecem exatamente iguais. Mesmo cabelo. Mesmo batom. Mesmas roupas. Mesmo corpo. A líder fala:

— Por que você não mexe com alguém do seu tamanho, Jack Masselin?

E ela vira uma latinha de refrigerante na minha cabeça.

Alguém grita:

— No cabelo não! No cabelo não! — e ri.

Levanto rápido, pingando, e as pessoas começam a aplaudir. A garota sai com pressa, e Kam diz:

— Se você for mexer só com gente do seu tamanho, só vai sobrar a galera do primeiro ano.

Ele pega o cantil no bolso, tira a tampa e — pela primeira vez na vida — me oferece um gole.

— Espero que seja suco de laranja. — É uma voz de mulher, por cima do meu ombro.

Fico olhando para o Kam, e ele responde:

— Claro, sra. Chapman. Vitamina C não é importante só pro desenvolvimento, ela também protege do escorbuto.

A professora faz um gesto de repreensão para o Kam e então diz, na frente de todo mundo:

— Só queria saber se está tudo bem com você.

Ela fica olhando para minhas roupas molhadas e a poça de refrigerante aos meus pés.

— Estou ótimo, obrigado.

— Sei que o dia não deve estar sendo fácil. — Em sua defesa, ela fala em voz baixa, mas na verdade isso só piora as coisas. É como se estivesse conspirando comigo. Como se tivéssemos um segredo. — Nada une mais as pessoas do que julgar alguém, e mesmo quando fazemos algo errado na maioria das vezes esses julgamentos não se justificam…

Ela está falando sobre si mesma, não sobre mim. Sinto o elástico que comprimia meu coração frio romper e, sem dizer nada, saio dali.

LIBBY

Fujo para o ar fresco do lado de fora e solto o ar que fiquei segurando pela última hora. *Você voltou à cena do crime e sobreviveu.* Agora que consigo respirar de novo, o ar está entrando rápido e tanto oxigênio no peito e no cérebro me deixa tonta. É importante que eu mantenha a pressão baixa e estável. É questão de vida ou morte. Sério. VIDA OU MORTE. Porque pode ser assim que começa — pressão arterial alta seguida de tontura seguida de adeus, Libby.

Pode ser hereditário.

Assim, a máquina do tempo que fica na minha cabeça me transporta para aquele dia. Estou de pé ao lado da cama da minha mãe me perguntando como aquilo — ela ali, inconsciente — pôde acontecer.

— Ela parece tranquila — meu pai disse a caminho do hospital. — Como se estivesse dormindo.

Minha mãe estava ligada a um monte de tubos e fios na UTI, e uma máquina respirava por ela. Eu não sabia o que fazer, então fiquei sentada ao seu lado e depois peguei sua mão, e ela ainda estava quente, ainda que não como de costume. Apertei seus dedos, tomando o cuidado de não usar força demais, porque não queria que se machucasse. De repente seus olhos se abriram, ela estava acordando. Não parecia tranquila. Parecia vazia.

Eu disse:

— Estou aqui. Por favor, não vá. Por favor, fique. Acorde. Por favor, acorde. Por favor, não me deixe. Por favor por favor por favor. Se existe alguém que pode

voltar, esse alguém é você. Por favor, volte. Por favor, não vá. Por favor, não me deixe sozinha.

Porque se ela me deixasse, eu ficaria sozinha.

Do lado de fora, o céu é uma mistura de branco e azul, e o ar fresco parece beijar minha pele quente.

Tiro uma canetinha da mochila. Procuro um espaço em branco no tênis. Escrevo: **Mantenha a cabeça erguida e os punhos abaixados. (Harper Lee, *O sol é para todos*)** Digo ao meu cérebro que se concentre nas coisas boas — o fato de que ninguém tentou montar em mim como se eu fosse um touro no refeitório hoje, o fato de eu aparentemente ter três amigas de verdade, e o fato de que Terri Collins está se mudando para Minnesota. *As Damsels vão precisar de alguém pro lugar dela.* Mas não consigo afastar a sensação de que todo mundo deveria estar aqui menos eu.

Penso na Mary Katherine Blackwood de *Sempre vivemos no castelo*. Eu a adoro e tenho pena dela porque é peculiar e estranha, como eu, e — é o que digo a mim mesma — incompreendida. Mas agora estou com uma sensação perturbadora de que talvez eu estivesse errada. Talvez seja melhor ficar trancada longe do resto do mundo. Talvez ela não sirva para viver como as outras pessoas, com as outras pessoas. Talvez ela devesse mesmo ficar naquela casa para sempre.

JACK

No meio do mar de gente, vejo uma garota grande vindo até mim, e é ela — Libby Strout. Um grupo de garotas se acotovela e, apesar de estarem todas sussurrando, consigo ouvir alguma coisa sobre o Rodeio das Gordas. Elas olham para a Libby, e é aí que entendo. Foi isso que eu fiz com ela — pintei um alvo vermelho enorme nas suas costas.

Enquanto as garotas observam, pasmas, Libby para na minha frente e me entrega um bilhete.

— Toma.

Isso faz com que o grupinho tenha um ataque de riso, e já posso ouvir a fábrica de fofocas trabalhando.

LIBBY

Depois da aula, desço um lance de escadas no corredor principal até o porão assustador, onde fica a antiga quadra de basquete, que era usada antes de construírem o complexo esportivo caríssimo onde cabem dez mil pessoas. Jack Masselin está sentado nas arquibancadas, com as pernas esticadas e os cotovelos apoiados atrás, conversando com Travis Kearns, da minha turma de educação no trânsito, com uma garota sorridente de cabelo castanho comprido e com um garoto de cabeça raspada que eu acho que é Keshawn Price, estrela do basquete. Eles prestam atenção em cada palavra que Jack diz, então ele olha pra cima, me vê e continua falando.

Ou talvez não tenha me visto. Apesar de eu ser a maior garota deste lugar.

Sento longe deles, na primeira fila. Neste ginásio cabem provavelmente umas seiscentas pessoas, e tem alguma coisa no lugar que o faz parecer triste e negligenciado, o que, é claro, é verdade. A cada risada que vem do grupo acima de mim, me sinto mais e mais invisível. Duas outras pessoas chegam, mas não sei quem são. A garota senta ao meu lado, a menos de meio metro de distância, e o garoto se acomoda uma fileira acima. Ela se aproxima e diz:

— Meu nome é Maddy.

— Libby.

— Aqui é a Roda de Conversa, né?

Bem nessa hora o sr. Levine entra devagar.

— Olá, olá. Que bom que vieram. — Ele para na frente das arquibancadas com as mãos no quadril. Usa uma gravata-borboleta laranja e um tênis combinando. Se não fosse o cabelo grisalho, pareceria um de nós. — Vamos deixar uma coisa clara: não vou conversar com vocês sobre a importância da tolerância, da igualdade e de perceber que estamos todos juntos nessa porque não acho que sejam burros ou que não tenham princípios. Acho que vocês são pessoas inteligentes que fizeram coisas idiotas. Quem quer começar?

Ninguém fala nada. Até Jack Masselin fica em silêncio. O sr. Levine continua:

— Que tal começarmos com por que vocês estão aqui? O motivo real, não "porque a diretora mandou".

Fico esperando alguém dizer alguma coisa. Ninguém fala nada, então eu começo:

— Estou aqui por causa dele. — Aponto para Jack.

O sr. Levine faz que não com a cabeça.

— Na verdade você está aqui porque vandalizou propriedade da escola e porque deu um soco nele.

Um dos caras diz:

— Boa.

Jack diz:

— Cala a boca.

— Por favor! — O sr. Levine vira para mim. — Você poderia ter simplesmente se afastado.

— Você teria feito isso?

— Isso não vem ao caso.

— Tudo bem. — Respiro fundo. — Estou aqui porque me descontrolei. Porque quando alguém te agarra do nada e não larga, você entra em pânico, principalmente se todo mundo fica olhando e achando graça, e ninguém faz nada pra ajudar. Estou aqui porque não sabia se aquilo ia parar por ali ou se ele ia fazer mais alguma coisa. Que tal?

Todo mundo fica olhando para Jack. O sr. Levine faz que sim com a cabeça.

— Jack, fique à vontade para participar.

— Estou bem assim.

É isso que ele diz. *Estou bem assim*. Parado ali, com expressão de tédio, aquele cabelo indomável, muito cheio de si para participar.

— Se ele não tem nada a dizer, eu continuo.

Se tem uma coisa na qual sou boa nesse mundo, é em falar sobre mim e sobre os motivos das coisas. Mesmo em um lugar cheio de estranhos. Faço isso há anos.

— Ótimo. Aparentemente o palanque é todo seu, Libby — diz o sr. Levine.

— Depois que me resgataram de casa, fiquei no hospital por um tempo e, mesmo quando eu já estava bem o bastante pra ir pra casa, o médico me manteve lá porque disse que eu não poderia ir embora antes de entender o motivo do que tinha acontecido. De eu estar ali. De ter engordado tanto.

O sr. Levine não interrompe, mas dá para perceber que está realmente ouvindo. E os outros também, até Travis Kearns. Continuo porque já falei sobre isso centenas de vezes, tanto que parece que nem é mais sobre mim. É só uma verdade que existe do lado de fora, no mundo. *A Libby engordou demais. A Libby foi resgatada da própria casa. Tiveram que ajudar a Libby. A Libby melhorou.* Se eu aprendi alguma coisa com a terapia e com a perda da minha mãe, foi que é melhor simplesmente dizer o que a gente pensa. Se tentar carregar tudo por aí o tempo todo, logo você acaba deitada na cama, gorda demais para levantar ou até para se virar.

— Mas o motivo era um monte de coisas. Ter herdado as coxas grossas e o metabolismo lento do meu pai. Ter sofrido bullying quando era criança. Minha mãe ter morrido e o jeito como isso aconteceu, o medo e a sensação de estar sozinha e preocupada, sempre preocupada, com meu pai sempre triste, e o fato de ele amar comida e amar cozinhar, e eu querer que ele se sentisse melhor e que eu mesma me sentisse melhor.

Keshawn solta um *Caramba*.

Então o sr. Levine diz:

— Muito bem, Libby.

Alguns aplaudem.

— Obrigada. — Por algum motivo, isso é importante para mim. Não os aplausos, mas o reconhecimento do sr. Levine. O que ele acha de mim importa. — Fiquei presa em casa por um tempo, então pude pensar bastante sobre isso. Depois também.

Todos olhamos para o Jack, mas ele não diz nada.

O sr. Levine vira de novo para mim:

— E por que você deu um soco nele?

Minha vontade é dizer: *Olha pra ele. O cara é perfeito. Nunca teve um dia ruim. Tudo bem, ele tem um distúrbio estranho que impede que reconheça as pessoas, mas nunca foi chamado de gordo ou feio ou nojento. Ninguém mandou e-mails horríveis pra ele ou disse que seria melhor se ele se matasse. Os pais do cara nunca receberam e-mails raivosos só por serem pais dele. Aliás, ele tem pais. Duvido que saiba o que é perder alguém que ama. Outras pessoas não podem nem encostar no cara porque ele é bom demais pra nós aqui e pra este castigo. Isso sem falar nos amigos babacas que ele tem.*

Minha vontade é dizer: *Por que eu* não *daria um soco nele?*

Mas na verdade não tenho uma resposta além de:

— Eu fiquei brava.

E, pela cara que o sr. Levine faz, sei que não é o suficiente. Já vi isso antes. É a cara que os psicólogos fazem quando te analisam, quando sabem a resposta mas não vão falar qual é porque você tem que chegar a ela sozinho.

JACK

Quando chega minha vez, digo:

— O verdadeiro motivo pelo qual estou aqui é porque sou o maior babaca do universo.

O cara de gravata-borboleta que deve ser o sr. Levine responde:

— Seja mais específico, por favor, Jack.

Me inclino para a frente e fico olhando para o chão. Parece que estou tentando encontrar as palavras certas, e estou. Mas o motivo principal é evitar contato visual. Às vezes quero fechar os olhos e esquecer que posso ver. Porque não distinguir feições é bem parecido com ser cego.

— Qual é seu motivo? — o sr. Levine pergunta.

— Não tenho um motivo, só um Que Merda e um O Que Eu Estava Pensando? — Esboço um sorriso, aí percebo que a Libby está me olhando. Eu a encaro e ela retribui o olhar. *Libby leu minha carta. Ela pode me entregar aqui mesmo.* Espero para ver se vai dizer alguma coisa. Ela não diz, então limpo a garganta e continuo: — Se vale de alguma coisa, queria não ter feito aquilo.

É a primeira coisa honesta que digo o dia todo.

Depois, Libby me encontra no estacionamento, enquanto estou entrando no Land Rover, com o celular na mão.

— Quando você colocou lá dentro?

— O quê?

— A carta.

Falo no celular:

— Te ligo mais tarde. — Então desligo enquanto Caroline pergunta com quem estou falando. Olho para Libby: — Quando te agarrei.

— Você achou que uma carta ia fazer com quem tudo ficasse bem, como num passe de mágica?

— E fez?

— O que você acha?

— Pelo menos eu tentei.

Dou um sorriso, mas ela balança a cabeça e aponta o dedo na minha cara.

— Não faça isso.

— Tudo bem. Vamos conversar de verdade então. Você disse que tem perguntas. Manda bala.

O celular vibra no meu bolso.

— Faz quanto tempo que você sabe que tem prosopagnosia?

— Percebi quando tinha uns catorze anos. Mas não foi tipo uma revelação. Foi mais um processo. Tive que reunir pistas, então levou um tempo.

— Então você vê meu rosto, mas não lembra dele?

— É mais ou menos isso. Os rostos não são apagados. Eu vejo nariz, boca. Só não consigo relacionar isso a pessoas específicas. Não é como acontece com você, que tira uma foto mental de alguém e guarda na cabeça para uma próxima vez. Eu tiro a foto, mas ela vai imediatamente para o lixo. Se você leva um ou dois encontros pra conseguir lembrar de alguém, eu levo cem. Ou nunca consigo. É como ter amnésia, ou tentar diferenciar as pessoas pelas mãos.

Ela olha para as próprias mãos e depois para as minhas.

— Então quando você vira pro outro lado, depois volta a olhar pra mim, não tem certeza de quem eu sou?

— Eu entendo que é você. Mas não *acredito*, se é que isso faz sentido. Tenho que me convencer de novo: *Essa é a Libby.* Sei que parece loucura.

Loucura é estar aqui conversando sobre isso com alguém que não eu mesmo.

— É verdade que é difícil assistir programas de TV ou filmes porque você não consegue acompanhar quem são os personagens direito?

— Alguns programas e filmes são mais difíceis que outros, como acontece com as pessoas. Filmes de monstros e desenhos são fáceis. Séries policiais são difíceis. Além de *Quem é o vilão?*, eu fico pensando: *Quem é esse aí?*

Fico olhando para Libby e sinto uma adrenalina louca, meu coração batendo forte. É como se ela estivesse me entrevistando, mas não acho ruim, porque é a primeira vez que estou falando sobre isso com alguém, e me sinto quase *livre*, tipo *Aqui está alguém que pode compreender quem eu sou de verdade.*

— E como é… ter isso?

— É como ter um circo dentro da minha cabeça e estar sempre me arriscando no trapézio. É como estar em um lugar cheio de gente e não conhecer ninguém. Nunca.

Os olhos dela começam a brilhar, ganhando intensidade.

— Como voltar pra escola cinco anos depois e tentar lembrar se conhecia ele, ou ela ou eles, mas todo mundo está diferente, e as pessoas que você conhecia antes são só… pessoas.

— Isso. Você não conhece as histórias e os detalhes, todas as coisas que fazem com que sejam quem são. E você é o único a se sentir assim.

— Enquanto o resto só vai pra aula e pro almoço, tipo: *Olha só pra mim, faço isso desde sempre. Conheço você e você também, o tempo nunca parou e aqui estou eu.*

— É.

Os olhos dela são grandes, de um castanho bem claro e nítido. Como âmbar ou uísque. Os cílios são longos. Não estou conseguindo ver aquela garota do guindaste nesta aqui na minha frente. Apesar de ser grande, ela é muito delicada pessoalmente.

Ela pergunta:

— Você às vezes imagina se são as outras pessoas que veem o mundo de um jeito diferente? Tipo, talvez você veja as pessoas como elas deveriam ser vistas.

—Vejo apenas marcas identificadoras. É como eu chamo. Todo mundo tem pelo menos uma coisa que se destaca.

— É por isso que você usa o cabelo tão grande?

— Meu cabelo é grande porque é incrível!

Ela solta um *humm*, como se não acreditasse muito, então inclina a cabeça para o lado, franze a testa e diz:

— Sinto como se conhecesse você. Sabe, de antes...

Meus batimentos aceleram. Meu coração começa a vibrar como meu celular. *Você não me conhece, você não me conhece*, eu penso, como se tivesse algum poder sobre a mente dela. Não importa o que aconteça, ela não pode descobrir que eu estava lá no dia em que foi resgatada. Se descobrir, Libby pode voltar a achar que a agarrei para tirar sarro dela.

—Você estudou na Westview?

— Não.

Antes que eu possa dizer mais alguma coisa, meu celular toca de novo.

—Você não vai atender? Parece que alguém precisa mesmo falar com você.

— Pode esperar.

Ela continua a me estudar, mas finalmente sacode a cabeça como se estivesse apagando tudo.

— Tenho tido muito essa sensação de "acho que te conheço".

—Você está bem acompanhada. Ou muito mal acompanhada, dependendo do ponto de vista. — Dou um sorriso. Ela quase sorri também, mas se segura. — Por causa do meu problema, vivo perdendo as pessoas que eu gosto.

Ela fica quieta por um tempo.

— Sei como é isso.

E se afasta.

Busco meu irmão mais novo e vamos para casa revirar a garagem atrás de materiais para o robô. É nela que eu guardo os destroços de todos os projetos que construí e depois desmontei.

— E aí, maninho, como foi a escola hoje? — pergunto.

— Tudo bem.

— Bem de verdade ou é só uma resposta-padrão?

— Um pouco de cada.

LIBBY

Encontro a Rachel no parque. Sentamos no banco de sempre e ela pergunta:

— Por que você bateu nele?

Porque estou pronta pra minha vida normal. Só quero seguir em frente como todo mundo sem ser agarrada no refeitório como se eu fosse um touro.

Repito para mim mesma: *Esta é a pessoa pra quem você pode falar qualquer coisa, a pessoa que te conhece melhor do que qualquer outra.* Mas só consigo responder:

— Fiquei brava.

E penso em mais três perguntas que gostaria de fazer ao Jack.

Na tarde seguinte, o sr. Levine está praticando lances livres quando entramos na quadra.

— Vocês chegaram. Ótimo. Keshawn, Travis, Jack e Libby vão jogar contra Natasha, Andy, Maddy e eu.

— Jogar o quê?

— Basquete, sr. Thornburg.

Ele joga a bola para Keshawn, que pega com uma mão.

— Não devia ser todo mundo contra o Keshawn? Sabe... só pra deixar mais justo.

— Cala a boca, Mass.

Keshawn faz uma cesta da porta, o que não é nenhuma surpresa.

Enquanto a Libby aqui estava dormindo, ele foi eleito o melhor no basquete por três anos consecutivos.

— Ganhar ou perder não importa. Não é uma competição. O que vale é o trabalho em equipe. — Todos encaram o sr. Levine, que está pulando para a frente e para trás, como se estivesse em um ringue de boxe. — Todo mundo que está aqui precisa aprender a brincar, ou pelo menos a brincar direito, com os outros.

É claro que Keshawn ganha o bola ao alto. Corremos pela quadra e, tirando ele, todos somos péssimos, mesmo os mais atléticos. É triste e vergonhoso, na verdade, e a única coisa que estamos aprendendo é a nos humilhar na frente dos colegas.

Toda vez que Keshawn faz uma cesta, ele age como se tivesse vencido o campeonato estadual. Fica dando ordens para o time e batendo a bola atrás das costas e entre as pernas e fazendo pontos impossíveis. É como jogar com o LeBron James, se ele fosse um bebezão de um metro e noventa e oito de altura. De repente, o sr. Levine tira a bola das mãos dele e diz:

— Este não é o seu momento. É pra ajudar os companheiros de time. É sobre como *somos todos iguais*. É sobre união. — Ele faz uma cesta de três pontos. — Vá descansar um pouco.

— O quê?

— Você pode ficar sentado na arquibancada por alguns minutos. Não vai morrer por isso.

— Cara…

Keshawn sai se arrastando, o ser humano mais lento do planeta. Esperamos que ele deixe a quadra. Duas horas depois, ele finalmente senta.

Natasha revira os olhos e balança a cabeça.

O sr. Levine diz:

— Se vocês preferirem, eu também saio. Números iguais. O que for melhor para o grupo, não é, Keshawn?

O garoto olha para ele, então para Natasha, que levanta uma sobrancelha.

— Claro — ele concorda.

Então agora são três contra três. Mantemos a liderança até que Jack passa a bola para Andy, que está no outro time. Quando o garoto arremessa e faz a cesta, Keshawn levanta na hora.

— Caralho, Mass! — ele grita.

— Olha a língua! — o sr. Levine diz ao mesmo tempo que Jack resmunga alguma coisa sobre a bola ter escapado.

Quando acontece de novo, parece que Keshawn vai ENLOUQUECER.

Jack diz:

— Cara, só estou tentando cumprir meu dever.

— O que você quer dizer com isso? — Andy pergunta.

Jack dá de ombros e lança um meio sorriso arrogante.

— Só acho que talvez seu time precise de uma ajudinha.

Andy joga a bola nele, um pouco forte demais. Os dois ficam se encarando, eriçados como gatos em um beco.

— Por que você não fica com a bola, Masselin? Eu pego de volta rapidinho.

O sr. Levine interrompe:

— Chega, vocês dois! Jack, pare de enrolar.

Nos minutos seguintes, os dois ficam tentando ganhar o jogo sozinhos. O Andy fica gritando para a Natasha e a Maddy, e o Jack nem passa mais a bola, atravessa a quadra sozinho e faz todos os arremessos. Até que a Natasha o encurrala, e o Jack tem que se livrar da bola. Para o Andy. *De novo.* Nos trinta segundos seguintes, o Andy faz uma bandeja e passa pelo Jack, dando uma ombrada nele.

— De nada — Jack diz, sarcástico.

Andy o encara como se quisesse dar um soco nele. Jack só fica ali, como se quisesse levar um soco. O sr. Levine se enfia no meio e começa um discurso sobre saber brincar com os outros e entrar em contato com os sentimentos.

Nesse momento eu olho para o Jack, e ele olha para mim. Sei o que está acontecendo. Ele não consegue distinguir Andy e Travis. Eles têm as mesmas formas. A mesma altura. O mesmo cabelo. Estão com a mesma cor de camiseta. Tento imaginar que os dois são estranhos para mim, que tenho prosopagnosia, que toda vez que desvio o olhar tenho que redescobrir quem são.

Digo a mim mesma: *Deixe pra lá, Libbs. A natureza cuida disso. Afinal, ele não merece ser humilhado na frente não só dessas pessoas, mas de todo mundo, em qualquer lugar?*

E agora estamos jogando de novo. De repente, grito para o Jack:

— Ei, passa pra mim.

Apesar de eu ter a pior mira de todo mundo aqui, talvez do mundo inteiro.

Mas em vez de passar a bola pra mim, ele atravessa a quadra sozinho. Na próxima vez que pega a bola, começo a pular e a sacudir os braços na direção dele.

— Eu estou livre.

Jack olha pra mim e eu penso: *Tá bom, se você não quer minha ajuda, dane-se.* Mas aí ele faz uma falta. Ficamos um ao lado do outro, vendo a Maddy cobrar os lances livres, e eu digo:

— Passa a droga da bola antes que o sr. Levine faça a gente ficar mais uma hora aqui.

Um minuto depois, Jack lança a bola para mim. Quando tento driblar, Maddy rouba a bola de mim, mas quando recebo o passe de novo, tento a cesta. Por algum milagre, acerto.

JACK

Seguro a porta aberta enquanto todo mundo sai para o estacionamento. Ganhamos por treze pontos, e o Keshawn sai carregando a Natasha como se ela fosse um troféu da NBA.

Quando a Libby passa por mim, penso na luz do sol. É o xampu, ou o sabonete, ou talvez seja só ela. *Será que a Libby já tinha cheiro de sol antes de ser resgatada, ou foi uma coisa que veio depois, quando saiu de novo pro mundo?*

Ela olha pra mim e diz:

— Você devia contar pra alguém o que está acontecendo.

— Já contei.

Estou irritado porque agora essa garota está me ajudando. Como se fosse eu quem precisasse de ajuda. E parece que sou mesmo.

— Alguém além de mim. Você não é o único que tem isso. Sei que deve sentir como se fosse, mas estatisticamente não é *tão* raro assim. Pelo menos não tanto como engordar a ponto de ficar preso na própria casa. Você já entrou no site do Centro de Pesquisa de Prosopagnosia? Eles fazem um cartão pra você levar na carteira e dar pras pessoas explicando o que você tem. Não estou dizendo que seja a resposta, mas pode ser um começo.

Ligo para Caroline na ida para casa.

— Oi, linda.

— Vem pra cá.

— Não posso.

— Como assim?

— Vou trabalhar.

— Depois então.

— Estou ocupado hoje à noite. Vamos sair amanhã. Prometo que vai ser legal. Uma noite inesquecível.

— Posso saber com o que você está ocupado? Ou seria *com quem*?

— Estou construindo um presente de Natal pro Dusty.

— A gente está em *setembro*.

— Estou *construindo*.

Ela fica em silêncio.

— Caroline? Amor?

— Queria que você não tivesse agarrado aquela garota. Aquela Libby Strout.

— Somos dois, acredite. Achei que estivesse acima desse tipo de comportamento idiota, então você pode imaginar minha decepção.

— Essa detenção está acabando com nosso tempo juntos. Só atrapalha a minha vida.

Ah.

Você pode passar o telefone para a versão legal da Caroline?, é o que quero falar. Mas em vez disso digo:

— Desculpa, amor. Juro que vou compensar.

LIBBY

Meu pai e eu estamos voltando pra casa pela National Road, passando pela faculdade, quando uma onda me atinge e sinto um vazio no peito que está lá desde que minha mãe morreu. A perda faz isso, nos atinge do nada. Podemos estar no carro ou na aula ou no cinema, rindo e nos divertindo, e de repente é como se alguém enfiasse o dedo na ferida e apertasse com toda a força. Vejo meu pai e eu voltando pra casa pelo mesmo caminho, na noite que a perdemos. Passamos por nós mesmos na estrada e vejo nossa cara pela janela. Somos fantasmas.

Olho para meu pai agora, e ele olha para mim.

— O que foi, Libbs?

Quase respondo: *É ela. Sempre. É a vulnerabilidade da vida, o fato de que pode mudar num instante, que me deixa ansiosa quando vou dormir e que me faz dizer a mim mesma que preciso respirar quando estou acordada.*

— Nada.

Coloco os dedos no pulso para verificar meus batimentos, mas finjo que só estou com as mãos no colo. *Respire. Fique calma. Não há motivo para pânico.*

— Foi muito legal a Bailey ir lá em casa. Ela sempre foi muito gentil.

— É verdade.

— Você sabe que pode chamar seus amigos para irem lá em casa a hora que quiser.

— Você também. A mamãe não ia querer que você ficasse sozinho.

Quase consigo ouvi-la: *Fique de luto por um tempo respeitável, Will, mas não deixe de viver sua vida.*

— Não estou sozinho — ele dá um sorriso que o faz parecer maluco.

— Não vou ficar aqui pra sempre.

Ninguém fica.

— Estou bem assim.

Mas não acredito totalmente nele. Então decido aliviar a conversa para nós dois.

— Você já ouviu falar de prosopagnosia?

— Prosopagnosia?

— Quando a pessoa não consegue distinguir rostos, então não reconhece a família ou os amigos.

— Isso é para algum trabalho da escola?

Jack Masselin não quer que eu conte. Apesar de não concordar com ele, faço o que pediu.

— Sim — respondo.

JACK

Em vez de verificar o estoque ou preencher pedidos, sento na frente do computador da Brinquedos Masselin e faço uma busca pelo Centro de Pesquisa de Prosopagnosia. O site diz que há unidades em Dartmouth, Harvard e na University College London, e que o centro é dirigido por um cara chamado Brad Duchaine. Já ouvi falar do centro e dele, mas nunca explorei o site de verdade, então fico um tempo lendo sobre essa coisa que eu quase definitivamente com certeza tenho.

Como é de esperar, a prosopagnosia pode criar problemas sociais sérios...

Relatos de prosopagnosia datam da Antiguidade...

Um dos sinais de prosopagnosia é uma grande dependência de informações não faciais, como cabelo, jeito de andar, roupas, voz...

A maior parte dessas coisas eu já sei. Visito alguns dos links do Cara a Cara, o boletim semestral, e então faço o teste Rostos Famosos, que testa minha capacidade de reconhecer celebridades. O presidente, a Madonna, a Oprah. Apesar de já ter feito coisas assim antes, só acerto o Martin Luther King, e no chute.

Clico no link para contato.

Se você acredita que tem prosopagnosia ou outro tipo de deficiência relacionada e está interessado em participar do projeto, entre em contato preenchendo o formulário. Tentaremos envolvê-lo nos estudos que estamos conduzindo ou o colocaremos em contato com pesquisadores da sua região.

Abro o servidor de e-mail, e está logado na conta do meu pai. Ali, bem ali, para qualquer um ver, há um novo e-mail, não lido, da Monica Chapman. Recebido há onze minutos. Enquanto eu pesquisava sobre meu cérebro problemático. Assunto: Jack. Ou seja, eu. Ou seja, meu pai e a Monica Chapman estão conversando sobre mim.

Fico olhando para o assunto, para o nome dela, para o nome do meu pai, para o meu nome.

Se eu abrir, vai acontecer o seguinte: vou saber mais do que já sei, o que significa que vou carregar mais segredos ainda.

Então eu abro.

E desejo não ter aberto.

Eu vi o Jack, e ele parece muito irritado. Ele já conversou com alguém? Sei que está encontrando o Levine depois da aula, mas talvez você devesse procurar mais ajuda. Posso sugerir alguém. Os orientadores aqui são muito bons, mas conheço outros. Vamos resolver isso. Você não está sozinho. Te amo. M.

Olho para baixo e minhas mãos estão tremendo. Parece que vou entrar em combustão espontânea, como o cavaleiro Polonus Vorstius da Itália, que pegou fogo depois de beber muito vinho.

Como nada acontece, escrevo:

Querida M.,
Se o Jack está tão irritado, é por nossa causa. A única coisa que pode ajudar meu filho é terminar esse relacionamento. Talvez eu devesse parar de ser tão egoísta. Se eu realmente te amasse, daria

um fim ao meu casamento ou pelo menos abriria o jogo com a minha mulher. Devo isso a ela. Talvez também deva isso a você. Talvez nosso amor seja o maior que já existiu, ainda que eu duvide disso. De qualquer forma, preciso parar de ser tão covarde. Não é à toa que o Jack está tão irritado.

Com amor,

N.

Não envio, mas deixo aberto para que meu pai veja.

Faço uma busca por livros sobre prosopagnosia e compro todos, com o cartão de crédito dele. Entro no meu e-mail e escrevo para Brad Duchaine.

Meu nome é Jack. Estou no ensino médio e tenho quase certeza de que tenho prosopagnosia. Não sei por quanto tempo consigo aguentar isso. Todos me são estranhos, incluindo eu mesmo. Por favor, me ajude.

Envio e imediatamente me arrependo. Mas já foi. Só posso esperar que talvez, só talvez, esse homem saiba me dizer o que fazer.

LIBBY

Ainda tenho a cópia de *Sempre moramos no castelo* que um bom samaritano enviou ao hospital. Ela fica na minha mesinha de cabeceira, e uso a carta que recebi junto como marcador de página.

Quero que saiba que estou torcendo por você.

Às vezes precisamos ouvir isso, mesmo que seja de um estranho. Penso em todas as pessoas por quem estou torcendo — meu pai, Rachel, Bailey, Iris, Jayvee, o sr. Levine, a diretora, o sr. Dominguez, meus colegas da Roda de Conversa, talvez até o Jack.

Então pego o formulário de inscrição das Damsels, leio de novo para ter certeza de que respondi todas as perguntas e preenchi todas as linhas, guardo na mochila e danço.

JACK

Durante o jantar, ninguém fala, só o Dusty, que quer participar da audição para a encenação de *Peter Pan* da escola dele. Marcus está mexendo no celular embaixo da mesa, e minha mãe nem grita com ele. Estou muito ocupado fingindo que somos todos amigos e que não quero socar meu próprio pai, e ele está muito ocupado fingindo *Amante? Que amante?*

Ele me encontra mais tarde no banheiro, quando estou escovando os dentes.

Entra e diz bem, bem baixinho:

— Você não devia ter aberto meu e-mail. Sinto muito que tenha visto o que acha que viu, mas precisa respeitar minha privacidade. Tem muita coisa que não sabe, então o que você leu ali… está fora de contexto. Mas sinto muito.

Ele fala com gentileza, porque Nate Masselin é um cara gentil que precisa que as pessoas gostem dele, principalmente depois do câncer. Percebo que ele está esperando que eu o perdoe e siga em frente, como todo mundo, e isso me irrita.

Demoro escovando os dentes, enxaguando a boca, secando com a toalha. Finalmente olho pra ele. Sou uns três centímetros mais alto, sem contar o cabelo. Então digo:

— Você não pode mais usar a doença como desculpa pras suas merdas.

E estou falando comigo mesmo também, claro, apesar de ele não saber disso.

Sonho que estou voando de aeroporto em aeroporto, e todos eles estão lotados. Tanto que não consigo respirar nem me mexer, e todos os rostos estão em branco — nada de nariz, boca, olhos ou sobrancelhas. Procuro alguém conhecido, qualquer pessoa familiar. Quanto mais procuro, maior o aperto no peito e menos consigo respirar.

Então eu a vejo. *Libby Strout*. Um guindaste enorme, maior que todo mundo, a segura no alto, e ela é a única que tem rosto.

SÁBADO

JACK

O vestiário é enorme. Cheira a chulé e mijo, ou a Travis Kearns, cuja principal marca é o cheiro de maconha. É o último lugar onde qualquer um gostaria de passar o sábado. Mas aqui estamos, nós sete e o sr. Sweeney (barriga enorme, mullet, costeletas, mancando um pouco). Nos espalhamos, e fico em um canto sozinho, porque não quero conversar com ninguém.

Ao meio-dia, paramos para o almoço. Sweeney nos dá quarenta e cinco minutos pra comer lá fora na arquibancada que pintaremos semana que vem, e eu fico afastado. A arquibancada é velha e está gasta. Só de olhar já perco o apetite. Pintar tudo isso vai ser mais um item na pilha de merda que é minha vida. Abro um refrigerante e fecho os olhos. O sol está gostoso. *Absorva tudo, bravo soldado*, digo a mim mesmo. *Enquanto ainda pode.*

Quase cochilo, então ouço alguém dizer:

— Me deixe em paz.

A frase é repetida várias vezes, por uma voz que reconheço, alta e constante. Abro os olhos e vejo um cara grande e desajeitado, com um grupo atrás dele. Todos têm mais ou menos a minha idade, são brancos e parecem iguais. Não reconheço nenhum deles, mas a voz parece de Jonny Rumsford.

Conheço o cara desde o jardim de infância, quando o apelido dele era Rum. Ele sempre foi maior do que todo mundo, tipo um gigante gentil. As pessoas sempre mexeram com ele por ser meio devagar, meio simplório, meio desajeitado, como um bando de hienas atrás de um búfalo.

Fico olhando para os outros, que gritam para o cara, mas não consigo ouvir o quê. Os ombros do Garoto Que Pode Ser o Rum estão tensos, como se ele estivesse tentando enfiar a cabeça dentro do pescoço. Então um dos caras joga alguma coisa nele e acerta sua nuca. De repente, vejo a mim mesmo como os outros veem — sou uma daquelas hienas chatas e barulhentas, jogando coisas em pessoas que não merecem.

Largo o sanduíche e saio como um foguete. De início, o Cara Que Pode Ser o Rum acha que estou correndo em direção a ele e congela, claramente aterrorizado. Os outros ficam rindo e jogando coisas — pedras, lixo, o que encontram. Corro direto para o bando. Eles não têm tempo nem para pensar. Um cai de bunda na terra, e de repente eles não estão mais rindo.

— Ele fez alguma coisa pra vocês? — aponto para o Rum. — *Fez?*

— Que merda é essa, Mass?

É claro que eles me conhecem. Provavelmente sou amigo desses babacas.

— Me digam *uma coisa* que ele tenha feito pra vocês.

Um dos caras levanta e me encara, e ele é tão alto quanto eu e alguns centímetros mais largo. Mas não desisto, porque estou pelo menos três vezes mais bravo.

— Sério, Mass? Você vai encher nosso saco por isso? O que aquela gorda fez pra você, hein? Me diga uma coisa que *ela* fez.

— É. Como vai a terapia, babaca? — outro cara diz.

Não penso. Ajo. Talvez porque esteja irritado. Com todo mundo. Comigo. Sinto que poderia encarar o mundo inteiro agora. Digo para o Rum:

— Vai pra casa, Jonny. Vai embora daqui.

Então viro e soco o primeiro cara que vejo. Ele cai no chão. Outro vem até mim, então viro e soco esse também. Mesmo quando minha mão parece quebrada, mesmo quando não sinto mais minhas juntas, continuo socando os caras. De repente, é como se tivesse deixado o corpo no chão e estivesse flutuando, vendo a luta do céu, como se estivesse acontecendo com outra pessoa.

Uma parte de mim pensa: *E se isso for uma evolução? E se o mau funcionamento do meu cérebro estiver se espalhando? E eu não conseguir nem reconhecer onde estou ou o que estou fazendo? E se meu cérebro estiver completamente detonado e eu nunca mais voltar para o meu corpo?*

Não sei quanto tempo passa, e de repente sinto alguma coisa ou alguém puxando meu braço. Viro e estou no chão de novo. É Libby Strout. Ela está me puxando.

Um dos caras diz:

— Não me machuque, Libby Balofa. Não me machuque!

Ele se encolhe e põe a mão na frente do rosto, de brincadeira.

— Não me chame assim — ela diz.

— Assim como, balofa?

— Você não pode estar falando com ela — digo, mais calmo e controlado.

— Ela sabe com quem estou falando.

Não gosto do jeito como ele diz aquilo, então dou um soco nele. Um cara alto e negro com a cabeça raspada chega e fica olhando para o bando de hienas.

— É melhor você correr. Se esse cara não matar você, eu mato.

Só pode ser Keshawn Price. Os garotos começam a se afastar, e o Cara Que Deve Ser o Keshawn fica olhando para eles.

— Cara, você é mais burro do que parece.

Ele está olhando pra mim.

— O que você acha que o Sweeney faria se visse isso?

— Ele está lá dentro. Não viu nada. Vamos. — Libby me empurra em direção às arquibancadas. — Seu lábio — ela diz. — Está sangrando de novo.

Mas nem me lembro de ter sido atingido. Olho para trás em direção à rua, e Rum está atravessando a ponte, indo para casa.

LIBBY

Temos mais quinze minutos de almoço, e Jack Masselin cai sentado na arquibancada, o sangue do lábio sujando a camiseta. Ele fica olhando as árvores, e eu olho para ele, tentando me colocar na pele do garoto mais uma vez.

Penso em ir para casa e em como seria se meu pai chegasse e eu não o reconhecesse. Ou se minha mãe milagrosamente voltasse do mundo dos mortos e eu não soubesse que era ela. Se estivesse na pele de Jack Masselin, me sentiria muito sozinha. E talvez assustada. Como saberia em quem confiar?

Sento ao lado dele e digo:

— Sou eu, a Libby.

O que provavelmente não é necessário, porque isso é bem óbvio neste grupo, mesmo para alguém com prosopagnosia.

Ele fica olhando para a rua, como se estivesse ansioso por outra luta. Sangue escorre pelo queixo e cai na camiseta, e ele não faz nada para limpar. Ofereço um guardanapo.

— Não, obrigado.

— Pega. Sweeney não pode ver o sangue.

Ele limpa o queixo com o guardanapo, estremece um pouco e coloca a latinha de refrigerante contra o lábio, como se fosse gelo. Ele fica me observando e pergunta:

— Aquilo foi por minha causa?

— O quê?

— "Balofa". Eu causei isso? Com o rodeio? Quero saber exatamente quão mal deveria me sentir neste momento.

— Não foi por sua causa. Aquilo foi Moses Hunt sendo Moses Hunt... exatamente o mesmo Moses Hunt que ele era no quinto ano.

— Moses Hunt. Ótimo.

Os irmãos Hunt são famosos. São pelo menos cinco, talvez mais, porque os pais não param de se reproduzir. Em questão de idade, o Moses é um dos mais novos, apesar de aparentar quarenta anos graças à vida que leva, aos dentes faltando e à sua crueldade.

— Você está bem? — Jack pergunta.

— É que a birra dele vem de antes. Parte de mim queria deixar você matar o garoto, mas, sim, estou bem. — Confusa, mas bem. Com o coração pulando, o peito apertado, mas bem. — Obrigada por me defender.

Jack acena com a cabeça e olha para a rua de novo. Ficamos ali sentados um pouco, ele olhando para a rua, eu olhando para ele. Finalmente, digo:

— Se não tomar cuidado, vai acabar encontrando alguém com mais raiva do que você.

— Duvido que essa pessoa exista.

E agora ele não é mais o famoso Jack Masselin. É um garoto sobrecarregado. Me obrigo a ficar ali, na pele dele. Faço isso pelo Atticus e pela minha mãe.

— Se não tomar cuidado, vai acabar comendo demais e ficando preso na própria casa. Vai por mim. Você acha que ninguém te entende e que está sozinho, e isso te deixa com raiva. *Por que eles não enxergam? Por que alguém não diz: "Ei, você parece sobrecarregado. Eu seguro um pouco do peso para você não ter que cuidar de tudo o tempo todo".* Mas é você que tem que falar alguma coisa. — Então eu grito: — Se você tem alguma coisa a dizer, diga!

Os outros garotos viram e ficam olhando pra mim. Eu aceno.

— Você é uma mulher muito sábia.

— Sou mesmo. Você ficaria impressionado. Tive muito tempo pra ler, assistir entrevistas e pensar. MUITO. Tempo demais pra pensar. Às vezes tudo o que eu fazia era pensar o dia todo.

— Então, o que te deixa irritada?

— Pessoas burras. Falsas. Cruéis. Minhas coxas. Você. A morte. Educação física. Pensar na morte o tempo todo. O TEMPO TODO.

Ele vira a lata para me ver melhor. Eu continuo:

— Minha mãe morreu quando eu tinha dez anos. Ela levantou naquele dia como se fosse qualquer outro e eu fui pra aula e meu pai foi pro trabalho, e eu só disse "eu te amo" porque ela disse primeiro. Ela foi pro hospital dirigindo. Estava tonta. Quando chegou lá, estava melhor, mas os médicos pediram alguns exames mesmo assim.

Ele abaixa a lata, mas não diz nada. Eu sigo em frente:

— Em um minuto ela estava conversando com eles, no outro não estava mais. Em um instante, consciente. No outro... — Estalo os dedos. — Inconsciente. Os médicos disseram que a causa foi uma hemorragia no hemisfério direito do cérebro. Alguma coisa simplesmente estourou.

— Como um aneurisma?

— Mais ou menos. Me tiraram de uma assembleia da escola, e meu pai foi me buscar. Fomos pro hospital pra eu me despedir. Ele teve que autorizar que desligassem as máquinas, e meia hora depois ela morreu. Uma das enfermeiras me disse que podia ser hereditário. Então eu tinha certeza de que ia acontecer comigo. Ainda pode acontecer, na verdade. — Verifico minha pulsação. *Sim, parece tudo bem.* — Fui pra cama naquela noite pensando: *Ontem à noite ela estava aqui. Hoje de manhã ela estava aqui. Agora não está mais, e não vai ser só por alguns dias. Como uma coisa tão definitiva pode acontecer assim de repente? Sem nenhum preparativo. Sem aviso. Sem nenhuma chance de você fazer todas as coisas que queria. Sem poder se despedir.*

As sobrancelhas dele formaram um V, e ele olha pra mim como se conseguisse ver meu coração e minha alma.

— Agora você é o único que sabe isso sobre mim.

— Sinto muito pela sua mãe.

— Eu também sinto. — Fico olhando para a comida e percebo que não estou com fome. Antigamente, teria comido cada pedaço só porque estava na minha frente. — Acho que estamos quites.

— Estamos?

— Você não vai me dar um soco, se é isso que está pensando.

Ele ri.

— Não estou pensando nisso. — Depois de um minuto, Jack pergunta: — O que está escrito no seu tênis?

Estico a perna para mostrar.

— São só citações de livros.

Ele aponta para a mais recente, escrita de canetinha preta, a que diz: *Mais peso.*

— Onde eu já ouvi isso?

— Giles Corey. De *As bruxas de Salem.* Ele foi a última pessoa executada nos julgamentos. Essas foram suas últimas palavras, tipo um foda-se pras pessoas que estavam matando o cara a pedradas.

O sr. Sweeney aparece e grita para voltarmos para dentro.

Enquanto juntamos o lixo e andamos em direção à porta, Jack pergunta:

— Moses e quem mais?

— Os que estavam provocando Jonny Rumsford? — Ele faz que sim com a cabeça. — O Malcolm, irmão dele, e o Reed Young.

— O Malcolm? — Faço que sim com a cabeça. — Merda. Ele é o pior de todos.

— Acho que os outros dois devem estar no último ano.

— Obrigado. — Jack enfia as mãos no bolso.

— De nada.

A luz bate no cabelo rebelde dele e fica ali. E *bum!*

De repente.

Simples assim.

Fico completamente consciente de que tem um *garoto* do meu lado. As pernas compridas. O jeito que ele anda, fluido, suave, como se tivesse sido feito para andar sobre a água. Mas ao mesmo tempo com determinação, o que o faz parecer mais alto do que é. Não tem muitos caras da minha idade que andam assim. *Com atitude.*

É como se eu descobrisse de repente que ele é homem. Meu rosto fica quente e minhas costas úmidas e penso na Pauline Potter, emagrecendo com maratonas de sexo, e fico olhando para as mãos do Jack e penso: *Pare de olhar para as mãos dele. O que você está fazendo? É o inimigo. Bom, talvez não o inimigo, mas você com certeza não quer pensar nesse cara assim.*

Percebo que ele está falando, então volto a prestar atenção aos poucos.

— Quero você, Libby Strout. Sempre quis, foi por isso que te agarrei.

Ou talvez na verdade ele esteja dizendo:

— Não dá pra perceber, mas estou sorrindo por dentro.

— Eu estou sorrindo de volta — respondo.

Tento manter o rosto neutro, mas não consigo me conter. Por algum motivo, sorrio para que todos possam ver.

JACK

É meia-noite quando levo Caroline pra casa. Na escada, eu a agarro pela cintura e puxo para perto, e o corpo dela está rígido, como se fosse feito de cabos de vassoura e mármore. Quero perguntar por que ficou assim, toda tensa e controladora e maldosa. Me pergunto onde está a Caroline esquisitinha agora, se aquele dia foi real ou um lance de sorte e essa nova Caroline, mais plástica, a engoliu. *Tem alguém aí dentro?*, quero perguntar. Em vez disso, eu a puxo mais para perto e coloco os dois braços à sua volta, tentando espremer a Caroline esquisitinha e legal para fora.

— Ai — ela diz. — Você sempre aperta muito forte. — Caroline me empurra pra longe. — Talvez as pessoas gostassem mais dela se não se irritasse tão fácil.

— Quem?

— Libby Strout.

Ela falou da Libby a noite toda, no jantar, durante o filme, no caminho para casa.

Dou risada, porque, vindo da Caroline, isso é hilário.

— Qual é a graça?

— Nenhuma. Mas, você sabe, o sujo falando do mal lavado.

— Não, não sei. — Ela cruza os braços. — Explique.

Alivia. Diz o que ela quer ouvir.

Mas não faço isso, porque de repente não consigo mais. Ela é exaustiva, eu sou exaustivo, nós dois juntos somos exaustivos. Estou há quatro anos dizendo o que ela quer ouvir.

— Quer saber? Depois a gente conversa — digo.

— Se você for embora, Jack, não volte. Não pode fazer isso e voltar atrás.

— Entendi, obrigado.

Sinto uma energia estranha, parece que estou fazendo alguma coisa grande e que vai mudar minha vida. Digo a mim mesmo *Você precisa dela*, enquanto volto para o Land Rover e vou embora dali.

Vou direto para o ferro-velho, onde pulo a cerca e fico andando sem ser incomodado porque está tarde e escuro e sou o único ali. É incrível o que a gente encontra — placas de carro, parafusos, para-choques. Para mim, o melhor são as engrenagens. Pequenas ou grandes, não importa — são como a fonte de energia para quase todas as máquinas, o que determina sua força e velocidade.

Fico ali um tempo, e a sensação é de tranquilidade, como se eu fosse a única alma viva em quilômetros. Mas minha cabeça não está aqui. Meu coração não está aqui. Muito da minha vida já se resume a isso — tentar transformar uma coisa velha em uma coisa nova e melhor, disfarçando o lixo de outra pessoa como algo novo e brilhante.

Na entrada da garagem de casa, pego o celular. Treze mensagens de texto e uma de voz da Caroline, mandadas na última hora. Uma mensagem do Kam. Outra do Seth. Espero meu e-mail abrir. Estou pensando em Libby Strout quando vejo. O e-mail. Enviado às seis e trinta e cinco.

Uma resposta de Brad Duchaine do Centro de Pesquisa de Prosopagnosia de Dartmouth.

SEGUNDA

LIBBY

Antes da primeira aula, Heather Alpern e as Damsels fazem exercícios no campo de futebol americano. Fico na lateral assistindo e não consigo nem me mexer, porque *elas estão ali*. Fico fascinada. A equipe fez sessenta e cinco anos. Foi criada por duas alunas que amavam dançar, com outras dezoito garotas. Usavam saias até os joelhos, o que na época chocou algumas pessoas, e luvas brancas, e dançavam com pompons e bandeiras. Hoje são quarenta garotas, trinta e nove sem a Terri Collins. No final do ano, todos os habitantes de Amos vão ao show das Damsels, que acontece no Auditório Cívico, o centro de artes da cidade. *E eu quero estar naquele palco.*

Fico de bom humor até a terceira aula. Afinal, enfrentei Moses Hunt e o céu não caiu. Decidi que vou entrar para as Damsels. Me coloquei na pele de Jack Masselin e consegui agir de forma madura.

Estou praticamente assoviando no caminho até o armário. Iris vem atrás de mim, querendo saber por que estou tão feliz. Então abro a porta.

As cartas caem como confetes. Estão por toda parte, espalhadas pelo corredor, como um tapete. As pessoas pisam nelas quando passam, e me ajoelho para tentar juntar tudo antes que alguém veja e ligue as coisas.

Iris abaixa e me ajuda. Ela abre uma e lê.

— Ninguém gosta de você.

Abre outra.

— Ninguém gosta de você.

Pego as cartas da mão dela para que não fique ali lendo. Devem ser umas cem.

— São pra você?

— Não é preciso ser detetive pra concluir isso.

— Quem faria isso?

Mas a pergunta é retórica, porque Iris Engelbrecht, mais do que qualquer outra pessoa, sabe do que os outros são capazes.

Como não respondo, ela diz com aquela voz de burrinho do Pooh:

— Você precisa contar pra alguém. Leve as cartas pra diretora. Vamos. Eu te acompanho. É melhor agora. Ninguém pode nos culpar por perder a próxima aula.

Enfio as cartas dentro da mochila.

— Não vou fazer isso.

Fica claro na minha voz o quanto estou magoada, com raiva e chateada.

— Não foi você que disse que tenho que ser corajosa?

— Eu nunca disse que você tem que ser corajosa.

— Você me disse que, se eu não falasse nada, Dave Kaminski ia pensar que podia continuar fazendo aquele tipo de coisa comigo.

— É diferente.

— Não é. Você tem que mostrar que não podem fazer isso com você. Vamos!

Sinto a palpitação começar a se estabilizar. Esse é outro efeito que a Iris causa na gente. Ela é um Valium humano.

Bato a porta do armário, coloco a mochila no ombro e começo a andar, o peso de todas aquelas cartas me forçando contra o chão. Iris se arrasta atrás de mim, ainda falando:

— Tudo bem, eu entendo. Acho que você pode olhar pelo lado bom. Isso não vai durar pra sempre. Uma hora eles vão achar outra pessoa em quem se concentrar, e essa coisa toda de Rodeio das Gordas vai ser esquecida.

Como se tivesse sido planejado, um grupo de garotos passa por nós, gritando na minha direção.

— Preparem as selas! Quem quer dar uma volta?

— Babacas.

Quem diz isso é a Iris, porque em vez de falar, estou fazendo o que costumava fazer quando era mais nova: tento me encolher, como se ao me concentrar bastante eu conseguisse diminuir até ficar do mesmo tamanho dos outros. Um tamanho aceitável, o que quer que isso signifique. Um tamanho que não faça com que todo mundo se sinta tão desconfortável.

Iris bate o braço no meu, como se tentasse me lembrar que ela está ali e que eu não estou sozinha, mas por algum motivo isso me irrita. Eu nunca me ofereci para ser sua salvadora e protetora. Não consigo nem *me* proteger. Ela começa a cantar a música do leão de *O mágico de Oz*, "Se eu tivesse coragem", e por mais que seja irritante tenho que admitir que ela canta bem.

Bam.

Bam.

Bam.

Paro de andar.

— Por que você quer ser minha amiga, afinal? — Interrompo a cantoria. — É porque te defendi aquele dia? É porque você se sente menos bizarra em comparação comigo? Ou é porque quando você está comigo as pessoas te deixam em paz e se concentram em mim?

Iris Engelbrecht arregala os olhos e então os estreita e fica me encarando como se me achasse uma babaca como os outros.

— Ou é porque nem sempre você é uma idiota, como está sendo agora. Eu gosto de você porque, tirando essa cretinice, é o que eu quero ser.

E ela se afasta.

— Cavalo dado não se olha os dentes — Kendra Wu gralha ao passar com Caroline Lushamp.

Paro com a mão na porta da sala e grito:

— O que você quer dizer com isso?

Elas continuam a se afastar, mas Caroline vira e olha pra mim, andando de costas com tanta graça quanto de frente.

— O que ela quer dizer é que talvez não seja muito inteligente queimar pontes quando se está numa ilha.

Ela dá o sorriso mais malvado que já vi.

Na aula de educação no trânsito, o sr. Dominguez diz:

— Libby? Quando quiser prestar atenção…

— Desculpa. — Paro de olhar pro nada.

Bailey me passa um bilhete. ***Você está bem?***

Em vez de responder, fico ali sentada fingindo que estou prestando atenção. Então o sr. Dominguez diz:

— Na semana que vem, vamos começar a dirigir.

Mesmo esse sendo o momento pelo qual mais esperei na minha vida curta e triste, é como se eu estivesse em outra sala, em outra escola, bem, bem longe dali.

JACK

Estou no banheiro depois da terceira aula quando dois caras entram, os dois brancos, os dois comuns, tirando o fato de um deles ser uma montanha e o outro ter mais ou menos a minha altura. Eles fecham a porta. Isso não é bom, porque desde que entrei no MVB essa porta nunca foi fechada.

— E aí? — Aceno com a cabeça, ajo normalmente, mas apesar de não conseguir reconhecer o rosto deles, reconheço o sentimento. Eles estão muito irritados. Vou em direção à saída, tentando parecer tão despreocupado quanto possível, mas o menor deles bloqueia meu caminho.

— Quando você mexeu com a minha namorada, eu deixei passar, mas aí você vai lá e me ataca quando estou com meus amigos. Isso não se faz, cara. Não devia ter mexido com as pessoas que eu amo.

Isso me diz que é quase definitivamente (acho) Reed Young, e que bem ali, atrás dele, está definitivamente (acho) Moses Hunt. Sou ousado o suficiente para dizer:

— Então quer dizer que você ama esse cara? — Aponto para o Moses.

Os dois avançam na minha direção. Não posso brigar de novo, então me abaixo e Provavelmente Reed cai enquanto Provavelmente Moses bate na parede, então abro a porta e saio dali. Não corro. Claro que não. Mas atravesso rápido o corredor.

Desde que o ser humano surgiu, contamos com o reconhecimento facial para sobrevivência. No tempo dos homens das cavernas, viver ou morrer podia depender de reconhecer um rosto. Era preciso conhecer o inimigo. E agora aqui estou eu, mal conseguindo sair vivo de um banheiro de escola.

LIBBY

O sr. Levine (gravata-borboleta azul-vivo, tênis combinando) está sentado nos degraus esperando por nós quando entramos no antigo ginásio. Sentamos nos lugares de sempre e assim que nos ajeitamos ele levanta.

—Vamos tentar uma coisa diferente.

Que é o que ele diz todos os dias.

Até agora, cantamos, fizemos uma corrida de obstáculos (parando em cada um para falar sobre um sentimento específico ou maneiras de mudar nosso comportamento) e encenamos um episódio de *Star Trek* (em que dois inimigos têm que trabalhar juntos para sobreviver). Ele diz que são "exercícios de formação de adolescentes".

Mas desta vez o sr. Levine sai do ginásio.

Esperamos. Como ele não volta, Travis Kearns diz:

— Podemos ir embora?

E então o ginásio fica escuro, a única luz vindo de umas janelas estreitas lá no teto. Um segundo depois, um globo de discoteca começa a girar, com luzes rosa, laranja, verdes, amarelas, azuis. É como imagino as danceterias europeias da década de 1970.

— Mas o que...?

Travis não termina, porque uma música explode das caixas de som, tão alta que quase cubro as orelhas. É a balada dos anos 80 mais brega que existe, e só está faltando um DJ para o baile de formatura estar completo.

O sr. Levine volta para o ginásio e diz:

— De pé. — Ele faz um movimento com as mãos como um maestro para a orquestra. — Vamos, vamos. O tempo urge. Vamos trabalhar essa autoestima.

Um a um, nos levantamos. Keshawn e Natasha começam uma dança lenta, de brincadeira. Quando eles param, o sr. Levine diz:

— Continuem. É simples assim. Agora os outros.

Travis Kearns tira a Maddy, que é bonita, mas tímida. Ela fica olhando para os pés o tempo todo. Mesmo que não haja garotas suficientes, ninguém me tira para dançar. Andy Thornburg começa a dançar com uma parceira invisível, *porque aparentemente dançar sozinho é melhor do que comigo*. Sinto uma palpitação, primeiro sinal de pânico.

— Tire a Libby pra dançar, Jack — o sr. Levine diz.

— O quê?

— Você ouviu.

Jack olha pra mim e eu olho pra ele.

— Antes que a música termine, por favor.

Continuamos parados, e agora minhas mãos estão úmidas — o segundo sinal de pânico. O próximo vai ser uma compressão estranha no peito e na cabeça, como se eu estivesse sendo estrangulada por uma jiboia gigante. Aos poucos, tudo vai ficar escuro e distante, e vou encolher até o tamanho de uma pessoa normal, e continuar encolhendo até ficar pequena o suficiente para ser esmagada pelo sapato de alguém.

Finalmente, o sr. Levine pega o controle e aperta um botão, então *a música recomeça do início*. Todo mundo resmunga.

— Posso fazer isso o dia todo. Meu celular está completamente carregado e tem várias músicas parecidas nele. Piores até.

Olho pro Jack e ele olha pra mim, e as luzes piscam em seu rosto, fazendo com que seus olhos fiquem verdes, castanhos, azuis, dourados, como se fosse um camaleão mudando de cor.

Jack estende a mão. Eu pego. Porque somos obrigados. *Não foi assim que imaginei meu primeiro baile.*

Ficamos de mãos dadas sem jeito, o mais afastados possível, como se alguém estivesse segurando uma régua — na verdade uma fita métrica — entre nós. Vamos para a frente e para trás como se fôssemos feitos de madeira, olhando para o teto, o chão, as paredes, os outros, qualquer lugar menos um para o outro.

A música está ficando cada vez mais brega, e as luzes giram e giram, e os olhos dele piscam verdes/ castanhos/ azuis/ dourados, e de repente estou pensando nas minhas mãos. Em como elas estão suadas. Posso ouvir Jack Masselin contando para os amigos como minhas mãos suavam e como foi dançar com a gorda.

— Talvez eu nunca mais queira participar dos bailes da escola depois disso — ele diz.

Meu primeiro instinto é achar que está falando de mim ou das minhas mãos suadas, então respondo:

— Bom, esse também não é o melhor dia da minha vida.

— Não quis dizer que era por sua causa. Apesar de você estar me assustando um pouco agora.

— Desculpa.

Então entendo que ele estava falando da música e das luzes e do sr. Levine, parado ali como se fosse a dama de companhia mais atenta do mundo.

Agora estamos meio que balançando, e não é *tão* ruim assim. É a primeira vez que encostamos um no outro sem eu estar socando o garoto ou impedindo que socasse outra pessoa.

— É meu primeiro baile — digo.

— Ah.

— Bom, é o mais próximo que cheguei de um baile, pelo menos. Mas não se sinta pressionado.

— Sem pressão. Apenas ansiedade extrema quanto ao meu desempenho. O sonho de todo cara.

— Você não dança tão mal.

— Estou me sentindo bem mais confiante agora.

— Só não é exatamente como imaginei.

— Tudo bem. O que posso fazer pra mudar isso?

— Hum...

— Você está muito bonita.

No segundo que percebo que ele está brincando, minhas pernas se fixam no chão como raízes. Jack me puxa mais para perto e meio que me cutuca para eu voltar a me mexer.

Ele continua:

— Principalmente nesse vestido. A cor destaca seus olhos.

— Hum... — *Pense.* — O vendedor disse que é marrom Hershey's.

Credo. Quê?

— Na verdade parece mais âmbar.

E ele está olhando nos meus olhos como se eu fosse a única coisa que vê. Digo a mim mesma: *Ele é muito bom ator*, enquanto breves arrepios sobem pelas minhas costas, passando pelos ombros e descendo pelos braços.

De repente estamos dançando mais perto, e percebo não só suas mãos, mas cada um dos dedos ligados ao meu corpo, suas pernas batendo nas minhas. Quero me aproximar e sentir seu cheiro e encostar a cabeça em seu ombro ou talvez beijar seu pescoço. Depois ele vai me levar pra casa e me beijar na porta, gentilmente de início, depois cada vez com mais vontade, até cairmos no meio dos arbustos e rolarmos pelo quintal.

De repente a música termina e uma música rápida começa, e meus olhos se abrem. Nos separamos imediatamente, e *o Jack limpa as mãos na calça. Eca.*

O sr. Levine diz:

— Não parem! É uma competição de dança. Dancem, dancem! — Ele dança como um louco. Por um instante, ficamos só olhando o cara. Quer dizer, é um *espetáculo*. Ele é todo braços e pernas, cabelos voando. — Quanto mais vocês não dançarem, mais tempo vamos ficar aqui. Tem que ser pelo menos três músicas. — E ele volta a música pro começo.

— Merda — Jack Masselin diz, e começa a se mexer.

Claro, eu penso. *Claro que ele sabe dançar.* Como é o líder, todos o seguem. Primeiro Andy, depois Keshawn, Natasha, Travis e até Maddy. Jack Masselin não é meu líder, então fico parada.

Mais uma vez, o sr. Levine volta a música.

—Vou fazer isso até que todos estejam se mexendo.

Rodar no parque quase vazio com a Rachel é uma coisa, mas começar a me sacudir e pular dentro da escola na frente do orientador e dos meus colegas, por mais que estejam na mesma que eu... Naquele momento, meu sonho de entrar para as Damsels vacila, porque a audição vai ser muito pior que isso. Vai ter a Heather Alpern e suas capitãs — incluindo Caroline Lushamp — sentadas numa mesa, me olhando. Mesmo que consiga superar isso, *como vou me apresentar de figurino para a escola toda?*

Mas ahhhhhhh... essa música. É tão... Percebo que estou meio que batendo o pé e balançando a cabeça. *Não*, penso. *Libby, não.* Mas a música é... Ai, meu Deus. Sinto meus quadris se mexendo um pouco. *Não, não, não. Não faça isso.*

Mas estou viva. Estou aqui.

Nunca sabemos quanto tempo ainda temos. O amanhã não está garantido. Talvez eu morra agora mesmo, bem aqui.

Tudo pode terminar em um instante.

Ela acordou como se fosse outro dia qualquer, como eu acordei, como meu pai acordou. Pensamos que seria um dia normal. Nenhum de nós sabia que o pior dia estava começando. Se soubéssemos, o que teríamos feito? Será que a abraçaríamos forte e tentaríamos manter minha mãe aqui?

A música recomeça de novo. Keshawn diz:

—Vamos, Libby. Que droga.

O que ela ia querer que eu fizesse hoje? Se pudesse me ver, o que diria?

E de repente Jack Masselin está fazendo uns passos, Keshawn e Natasha ensaiam uma coreografia e o sr. Levine mexe as pernas como se fosse a Heather Alpern. Até a tímida Maddy está sacudindo os ombros.

Fique parada. Espere a música acabar. Não faça isso, Libby.

Mas sinto meu corpo dominando minha cabeça, e é isso que costuma acontecer. *A dança está em mim.* De repente estou ali, mexendo os braços, os quadris, jogando o cabelo. Pulo um pouco e, vendo que o chão do ginásio não desmorona, mais um pouco.

Jack começa a pular também e, sem conseguir me conter, dou uma pirueta. Jack grita:

— Como é o nome dessa dança?

Digo o primeiro nome que me vem à cabeça:

— Carrossel.

Fico girando e girando, e aí o sr. Levine começa a girar, e o Jack começa a girar, e todo mundo começa a girar, como as luzes, até o ginásio virar de ponta-cabeça.

Heather Alpern ainda está no escritório.

— Libby, não é?

Sua voz é doce como mel.

— Eu soube que a Terri Collins vai se mudar, e gostaria de saber se vão abrir testes para as Damsels.

Ainda estou vermelha e *completamente energizada* depois do "baile". Minha vontade é subir na mesa e fazer dela meu palco e passar pelo teste aqui e agora, mas em vez disso só entrego o formulário.

— Sim. — Ela sorri, e desvio o olhar de tão simpática que é. — Vou anunciar semana que vem.

Começa a chover. O estacionamento está vazio e meu pai não chegou, então fico em pé encostada no prédio, para não me molhar, apesar de isso ser a última coisa que quero: ficar encostada em um prédio como se fosse a Libby Strout do quinto ano, banida do parquinho.

Pouco depois, uma coisa que parece um Jeep velho se aproxima. O vidro do motorista está abaixado, e Jack Masselin diz:

— Quer carona?

— Não.

— Quer esperar aqui dentro?

— Não precisa.

Mas aí começa um dilúvio. Enquanto corro até o carro, ele abre a porta do carona e eu entro o mais graciosamente possível, o que infelizmente significa que escorrego e deslizo, os sapatos rangendo contra o tapete do carro, o cabelo grudado na cara. Fecho a porta e aqui estou eu, ofegante e enorme e completamente encharcada, no banco do carona do Land Rover de Jack Masselin. Tenho consciência de cada gota. No meu cabelo, nas minhas mãos, na minha calça. É uma dessas vezes em que sinto que estou ocupando muito espaço.

— Legal seu carro — digo. O interior é vermelho-alaranjado, tudo muito básico e robusto. *Estou no carro de um cara popular*, penso. — Parece carro de safári.

— Obrigado.

— Caminhonete? Carro? Do que você chama?

— Que tal "o carro mais foda de Amos"?

— Não exagera.

JACK

Ligo o aquecedor e as janelas embaçam.

— Achei que todo mundo já tinha ido embora — ela diz.

— Eu estava indo e vi você sair. Achei que talvez precisasse de uma carona ou pelo menos de abrigo.

— Meu pai não costuma se atrasar.

Ela pega o celular e vê se alguém ligou. Noto que está preocupada, embora tente não ficar.

— Ele já vem.

Ficamos vendo a chuva cair. A música está baixa e as janelas continuam embaçadas. Se fosse Caroline, a gente estaria se agarrando.

Então começo a pensar em ficar com a Libby Strout.

Quê?

Essa é a garota que você VIU SENDO TIRADA DE CASA POR UM GUINDASTE, digo a mim mesmo.

Mas continuo a pensar na gente ficando.

Pare de pensar em você e na Libby Strout ficando.

— Escuta, se existisse um teste que você pudesse fazer pra descobrir se tem o que sua mãe teve, você faria? — pergunto.

Ela inclina a cabeça e pensa.

— Depois que ela morreu, meu pai me levou em um neurologista. Ele disse: "Posso pedir uma bateria de exames pra ver se você tem aneurismas no cérebro. Se tiver, talvez a gente possa impedir que causem problemas no futuro. Mas não há garantia de que serão operáveis".

Meu pai e eu fomos pra casa e conversamos sobre isso. Eu era muito nova para entender, então foi ele quem decidiu.

— E você fez?

— Não.

— E agora? Você faria?

— Não sei.

E apesar de estarmos falando sobre aneurismas, eu *ainda* estou pensando em como seria ficar com ela. Então digo:

— Caramba, você dança bem.

Ela dá um sorriso.

Eu também.

— Acabei de me inscrever para o teste das Damsels — Libby diz.

— Sério?

Ela levanta uma sobrancelha.

— Desculpa, choquei você?

— É só que não consigo te imaginar dançando em formação. Não te vejo balançando bandeiras e usando o mesmo figurino que outras trinta garotas. Pra mim você é única. Se quer saber, acho que é melhor que as Damsels.

— Obrigada.

Ela abre a mochila e tira alguma coisa de dentro, e de início parece inocente — só um monte de papel amassado. Mas então leio o que está escrito neles: *Ninguém gosta de você.*

— Onde estava isso?

— No meu armário.

— Você sabe quem colocou lá?

— Não. Mas importa?

Entendo o que ela quer dizer. Não, não importa. O fato é que alguém colocou lá, pensou aquilo e escreveu para ela.

— As pessoas podem ser ótimas, mas também podem ser péssimas. Às vezes eu sou péssimo, mas não totalmente. Você, Libby Strout, é ótima.

— Não tenho certeza disso, mas esse é um dos motivos para fazer o teste. — Ela tira o papel da minha mão e o agita no ar. — Podem me dizer isso o quanto quiserem, mas não vou ouvir. — Ela amassa o papel e enfia de novo na mochila.

— Também tenho uma coisa pra te mostrar — digo.

Pego o celular, abro o e-mail e mostro pra ela.

Ela lê em voz alta.

— "Caro Jack." — Gosto do jeito como diz meu nome. De verdade. — "Obrigado por escrever. Gostaríamos muito de fazer alguns testes com você. Caso não possa vir a Hanover, sugerimos que entre em contato com a dra. Amber Klein, do Departamento de Ciências Neurológicas e Neurologia Cognitiva da Universidade de Indiana, em Bloomington. Atenciosamente, Brad Duchaine."

Ela olha pra mim.

— É por causa da prosopagnosia?

— É. Eu não teria entrado em contato se não fosse você.

— Vai fazer o que ele disse?

— Não sei.

Sim.

— Você não precisa da permissão dos seus pais?

— Vou fazer dezoito logo.

— Quando?

— Primeiro de outubro.

Ela me devolve o celular, pensa um pouco, então me encara com aqueles olhos âmbar bem abertos.

— Então vamos.

— O quê?

— Assim que você fizer dezoito anos. Vamos pra Bloomington.

— Sério?

— Por que não?

Sem perceber, meus olhos procuram os dela e os dela procuram os meus. É como se estivessem de mãos dadas. Ficamos assim até que uma buzina nos faz dar um pulo.

Espero eles saírem para seguir para a Brinquedos Masselin. Meu humor está tão bom que sou civilizado até com meu pai. Dói um pouco ver como fica surpreso com isso, então vou ainda mais longe e conto sobre o robô que estou fazendo para o Dusty. Vai ser do tamanho dele, talvez mais alto. Vai falar. Vai ser o melhor do mundo.

Em sua defesa, meu pai é educado e faz perguntas. Não falamos sobre Monica Chapman. Não falamos sobre o e-mail. E por um instante eu penso: *Talvez a gente deva parar por aqui. Bem aqui, em território seguro. Talvez possamos ficar assim, a salvo, para sempre.*

Duas horas depois, quando volto para o Land Rover, sinto o cheiro da Libby. *Sol.*

LIBBY

Depois do jantar, meu pai e eu vemos TV com o George. Meu pai está comendo uvas, uma de cada vez. Ele joga a cabeça para trás e as lança no ar, pegando com a boca antes de George. Jogo a cabeça para trás e pego uma também. Saboreio como devo saborear os alimentos que são bons para mim. Dou uma mordida, e a uva se desfaz em uma explosão de sabor.

Eu fui incrível hoje. Iluminei aquele ginásio. Você tinha que ter visto! Estou compensando todos os momentos perdidos, quando não conseguia me mexer ou sair da cama. A dança está em mim! Espera só até elas me verem no teste para as Damsels. Vou arrasar. Vou dançar com tudo, pra todo mundo ver.

— E aquele garoto, o Masselin? Tudo bem entre vocês? Não te incomodou mais?

— Não.

Não como antes, pelo menos.

— Libbs, você sabe que pode conversar comigo sobre qualquer coisa.

Sinto que estou ficando vermelha. *E se meu pai puder ler pensamentos? E se ele vir que estou tirando a roupa do Jack Masselin enquanto como essas uvas?*

— Eu sei, pai.

Pela primeira vez na vida, não quero conversar com ele. Não sobre o Jack e não sobre as cartas. Se eu falar, ele vai ficar preocupado, e meu pai já se preocupa comigo há tempo demais.

— Estou pensando em não ir pra aula no dia primeiro de outubro. — Uma das coisas que meu pai me fez prometer depois que minha mãe morreu foi que sempre diria para ele onde vou, e acho que pelo menos isso posso falar. — Um amigo precisa ir pra Universidade de Indiana participar de uma pesquisa.

— Que amigo?

— Da escola. — Não digo que é o Jack. Acho que já é o bastante eu estar aqui contando para o *meu pai* que quero matar aula. — Ele está com uns problemas. Quero ajudar.

— Você tem alguma prova nesse dia? Alguma coisa importante que não poderia perder?

— Não que eu saiba.

— Isso é um... um...

— Encontro? Não.

Acho que não. Quer dizer, não é. Mas me pergunto: *Poderia ser?*

— Não — repito. — Foi minha ideia ir.

Quase digo: *Estou pensando em fazer os exames também. Sei que conversamos sobre isso depois que a mamãe morreu, mas agora que estou mais velha acho que prefiro fazer. Talvez assim não me preocupe tanto.* Jogo uma uva para o alto e não consigo pegar. *Ou talvez acabe me preocupando mais, dependendo do que descobrir.* Pego a uva que caiu na minha camiseta e franzo a testa.

— Será que a gente pode fazer umas compras?

Ele levanta a sobrancelha.

— Pro seu não encontro?

— Você não precisa ir. Pode só me dar o dinheiro. Ou eu posso começar a trabalhar.

— Nada de trabalhar. Não agora. Uma coisa de cada vez.

— Pode me dar dinheiro então?

— Você percebeu que acabou de me pedir pra faltar na aula *e* pra te dar dinheiro na mesma conversa? Notou que sou o melhor pai do mundo?

— Notei.

Ele joga a cabeça para trás e eu lanço uma uva. Mando uma para o George também, que dá um tapa na uva e a faz atravessar a sala. Jogo mais uma para o alto e dessa vez consigo pegar.

No quarto, pego o celular e me encosto na cabeceira da cama. Ligo para Bailey, porque é isso que amigos de verdade fazem. Quando ela atende, pergunto:

— O que você acha do Jack Masselin?

— Como pessoa ou como garoto?

— Os dois.

— Acho que ele é uma boa pessoa que às vezes não tem juízo. E acho que é um garoto bonito e engraçado, e sabe disso, embora não seja tão babaca a respeito quanto os outros. Por quê?

— Ah, eu só estava pensando…

— Não vou dizer o que você deve sentir, Libbs, mas ele e a Caroline são um daqueles casais eternos. Tipo, mesmo quando não estão juntos, estão juntos. Se fosse eu, não chegaria nem perto dele. Você pode se machucar.

— Não estou dizendo que estou interessada…

Mas será que estou?

Mudo o assunto para Terri Collins e as Damsels, e a Bailey me conta sobre um garoto de quem gosta que mora em New Castle. Conversamos um tempo, e depois vejo o Instagram da Iris e curto as últimas fotos que ela postou. Escolho uma aleatoriamente e comento. Quase deixo por isso mesmo, então decido ligar pra ela. Cai direto na caixa postal, e deixo um pedido de desculpas enrolado. Ela me liga imediatamente e, apesar de não estar com vontade, atendo, porque não sou uma ilha.

JACK

Em casa, encontro a Mãe-de-Cabelo-Preso no escritório, mergulhada no trabalho, livros de direito abertos, notebook ligado.

— Filho mais velho se apresentando para o serviço.

Ela lança aquele olhar de mãe.

— Você conseguiu chegar ao fim do dia sem agredir alguém ou ser mandado pra sala da diretora?

— Sim, consegui. — Levanto os braços em um V triunfante, como se tivesse cruzado uma linha de chegada.

— Muito bem! Espero ter mais dias assim. — Ela levanta a mão, fazendo figa, enquanto marca com a outra onde ela estava em um dos livros. — Aliás, chegou um pacote pra você. Deixei na mesa da cozinha. O que encomendou?

— Umas coisas pra escola. — Espero que ela considere isso uma prova de que sou um novo Jack e aprendi a lição.

O celular toca, e ela balança a cabeça.

— Peça pizza ou outra coisa pro jantar, a não ser que seu pai resolva preparar alguma coisa.

— Acho que ele ainda não chegou em casa.

O rosto dela muda, e antes que ela possa dizer qualquer coisa e porque ela trabalha muito e ele é um inútil, e porque ela não merece se sentir mal por nada, corro e dou um beijo em sua bochecha.

— Toda essa mercadoria aqui é sua, mãe. Tenho bastante pra dar. Aqui vai uma ajudinha pro seu caso.

Então dou um abraço nela. Não é muito, mas pelo menos minha mãe ri enquanto me empurra.

Abro a caixa no meu quarto. Dois livros de Oliver Sacks, um volume meio didático sobre percepção visual chamado *Rosto e mente* e uma biografia do Chuck Close, que tem prosopagnosia, é muito foda e ficou famoso com suas pinturas de rostos. Ele usa uma cadeira de rodas, tem um problema na mão *e* prosopagnosia, mas faz quadros incríveis. É assim que ele faz:

> Tira uma fotografia.
> Mapeia o rosto, fazendo uma grade fotográfica.
> Reconstrói o rosto parte a parte na tela, usando tintas a óleo, acrílicas, grafite ou lápis de cor.

Segundo ele, é sempre o rosto.
Só o rosto.
Porque esse é o mapa da vida.

LIBBY

Mando uma mensagem para a Jayvee. A conversa começa, como sempre, com Atticus Finch.

Eu: **Imagine que Atticus Finch é seu pai.**

Jayvee: **Eu sou a Scout ou o Jem?**

Eu: **Qualquer um. Ou Jayvee. Jayvee Finch.**

Jayvee: **Dos Finch das Filipinas. Continue.**

Eu: **Digamos que tem uma doença hereditária na família e que, quando você era criança, Atticus decidiu que você não devia fazer o exame.**

Jayvee: **Atticus geralmente está certo. A doença tem cura?**

Eu: **Não.**

Jayvee: **Posso questionar o Atticus agora que cresci e sou uma mulher madura?**

Eu: **Talvez.**

Jayvee: **Quantos anos eu tenho agora?**

Eu: **A nossa idade.**

Jayvee: **Acho que Atticus teve seus motivos. Ele é o Atticus Finch, afinal.**

Cinco segundos depois:

Jayvee: **Mas a gente tem que poder tomar as próprias decisões.**

Como construir um robô
por Jack Masselin

1. Junte a maior quantidade de peças de Lego que puder.
2. Desenhe um esboço do projeto.
3. Ignore os sites do tipo "como construir um robô de Lego", porque é para o Dusty e ele merece um robô original que nunca foi feito antes.
4. Assista de novo ao filme *O dia em que a Terra parou* (o original, não a refilmagem) para propósitos de procrastinação-como-inspiração.
5. Pegue tudo de valioso que conseguir encontrar no ferro-velho.
6. Encomende as peças que faltam (se forem impossíveis de encontrar no ferro-velho) — microcontrolador, placa de ensaio, placa de circuito, bateria, cabos, motorredutores, conectores, alto-falantes, receptor infravermelho, servos de rotação, vários suportes e ferragens, serra de rolagem motorizada etc.
7. Crie esboços que vão dizer ao robô o que fazer. Basicamente, programe seu cérebro.

Quando eu tinha seis anos, subi no telhado de casa porque pensava que era um super-herói. Eu era o Homem de Ferro, com o traje do Homem de Ferro, mas na verdade estava de camiseta e calção de banho, então em vez de voar mergulhei no chão e abri a cabeça.

Sessenta e sete pontos. Eu reconhecia as pessoas antes disso? Não lembro.

8. Dê a ele um bom cérebro. Um cérebro completo, funcional, normal.

UMA SEMANA DEPOIS

JACK

Primeiro de outubro é uma terça. Finjo que estou doente e escondo a chave do Land Rover para que Marcus não possa ir com ele pra escola. Quando um garoto alto com o cabelo desgrenhado entra no meu quarto e começa a gritar comigo, imagino que seja ele.

— Sei que você está com a chave, mentiroso.

Tusso alto.

Ele começa a mexer nas minhas coisas — estantes, gavetas, armário. Pega a calça que está no chão e procura nos bolsos.

Continuo tossindo como se tivesse tuberculose até que uma mulher aparece na porta querendo saber o que está acontecendo.

Em resposta, dou uma tossida forte, então ela aponta para a porta e manda o garoto alto de cabelo desgrenhado descer. JÁ.

— Você precisa de alguma coisa antes que eu saia? — diz a mulher.

— Não.

Não é minha intenção, mas pareço um mártir. Tusso mais um pouco.

Ela vai embora e fico ali deitado, ouvindo o barulho deles saindo lá embaixo.

A porta da frente bate, mas continuo deitado. Ouço o motor do carro, então levanto e vou até a janela. A mulher entra em um carro com um garotinho, e um homem com cabelo preto e grosso entra em outro com o garoto alto e de cabelo desgrenhado. Eu os observo sair da garagem e pegar direções opostas no final da quadra. Entro em ação na hora. Pego a chave embaixo do colchão, troco de roupa, desço a escada correndo, enfio um pão na boca, entro no Land Rover e atravesso a cidade até a casa da Libby.

O bairro dela tem várias ruas com casas novas idênticas, uma ao lado da outra. Não existe nada que diferencie sua casa das outras, a não ser pela garota que mora ali. Ela está me esperando na calçada, com um vestido roxo que parece algo que uma *mulher* usaria, pregado aqui, solto ali, justo lá. Seu cabelo está solto e iluminado pelo sol.

Sei enxergar a beleza. Quanto mais simétrico o rosto, mais as pessoas parecem comuns para mim, porque tem uma *mesmice* nelas, mesmo que outros achem que são bonitas. A pessoa precisa ter algo único. O rosto da Libby é simétrico, mas não tem nenhuma mesmice. Eu a reconheço assim que abre a porta e entra no carro. Ela é graciosa, principalmente para alguém tão grande. Entra meio como o Tarzan, tira o sapato e mexe os dedos dos pés. As unhas também estão pintadas de roxo.

— Você está muito bonita — digo.

Ela inclina a cabeça e olha para mim.

— Você está me paquerando, Jack Masselin?

— Só estou apontando o óbvio.

Libby faz menção de prender o cabelo, e minha vontade é dizer: *Não faça isso. Você vai desaparecer diante dos meus olhos.* Então percebo que ela pensa melhor — talvez lembre do que eu disse — e o deixa cair de novo sobre os ombros.

Então ela me entrega uma coisa embrulhada em papel de presente natalino, com uns cinquenta laços.

— Feliz aniversário. Se você não percebeu, adoro Natal.

— Não precisava me dar nada.

— Mas queria dar. Abra.

Rasgo o papel e os laços voam para longe. Ela pega um e coloca no cabelo, bem em cima da orelha esquerda. Pega outro e põe no meu joelho. Eu pego um e colo na ponta do nariz, depois faço o mesmo nela.

De trás do laço, Libby diz:

— Abra, por favor.

É um livro. *Sempre vivemos no castelo*, da Shirley Jackson. De início, fico assustado. Me pergunto se ela sabe. Deve saber que fui eu que mandei para ela no hospital. Olho para Libby, que está com um sorriso largo no rosto, e percebo que não, ela não sabe de nada.

Folheio o livro. Não é a mesma cópia que mandei para ela anos atrás, mas está bem gasta e parece que foi lida várias vezes.

— Eu não sabia o que dar, porque o que a gente dá pra um cara que tem tudo, incluindo prosopagnosia? Então pensei em dar uma coisa que eu amo. É meu livro favorito. Você não precisa ler, mas a garota, Mary Katherine, eles a chamam de Merricat, ela me lembra... hum... eu mesma, acho. E... sei lá. Talvez você se identifique com ela também.

— Vou ler. — Sorrio para ela. — Obrigado.

Libby sorri para mim.

— De nada.

E parece um momento especial. De repente, o ambiente não está só cheio de laços: parece que uma corrente elétrica passa do banco dela para o meu.

Ela faz o impossível — quebra a corrente falando primeiro.

— E aí? Está pronto?

— Mais pronto impossível.

No início, estou empolgado. Falo sem parar, contando sobre cada teste on-line que fiz e sobre um cara de San Francisco chamado Bill Choisser, um velho barbudo que tem prosopagnosia e escreveu um livro sobre o assunto e colocou na internet para que todos pudessem ler. Fala sobre o impacto que a prosopagnosia tem na escola, no trabalho, nos relacionamentos, na vida.

Mas quanto mais nos aproximamos de Bloomington, menos eu falo. Consigo sentir o ar acabando dentro de mim. *O que vou descobrir? A dra. Amber Klein pode me ajudar? Será que eu não deveria ir a New Hamp-*

shire para ver o Brad Duchaine? E se essa viagem for uma perda de tempo? E se eles me disserem que eu tenho alguma doença séria? E se eu descobrir que não é prosopagnosia, mas câncer no cérebro?

— Posso quase *sentir* o que está pensando — Libby diz. Olho para ela. — Você esqueceu que eu estou no carro com você?

Estava tão absorto na floresta dos meus pensamentos que, sim, quase esqueci.

— Desculpa.

Passamos por uma placa: BLOOMINGTON: 16 KM. Sinto o estômago pesar, indo parar mais ou menos no acelerador.

— Essa coisa tem rádio?

— Se tem rádio? O que você acha? Pelo amor de Deus!

Aperto um botão e a música preenche o Land Rover, ocupando todo o espaço entre nós dois. Tento me concentrar nas palavras, na melodia, mas então Libby começa a mudar de estação, e aquilo parece meu cérebro — fragmentos de palavras, de melodias, de momentos, de coisas.

Finalmente ela encontra uma música de que gosta e coloca o volume no *máximo*.

— *Disco?* Você está brincando?

Tento abaixar o volume, mas ela bate na minha mão. Tento mais uma vez e ela faz de novo, e de repente a intenção não é mais mexer no rádio, mas tocar nela, e nossas mãos ficam se provocando. Finalmente, Libby agarra meus dedos e fica segurando. Aquela corrente elétrica parece sair do meu dedão, do meu dedinho e de todos os dedos entre eles. Dou uma tossida, porque *o que está acontecendo aqui?*

— Sinto muito que isso esteja acontecendo com você, querido — digo pro carro. — Sinto muito que tenha que ouvir isso. Sinto muito que *eu* tenha que ouvir isso.

Libby grita:

— Quê? Não consigo ouvir de tão maravilhosa que essa batida é!

Agora Libby está cantando o mais alto que pode *e* dançando. Ela solta minha mão e grita:

— Dancinha espontânea!

E continua cantando, agora com movimentos maiores e mais amplos, como se estivesse num palco.

— *I love to love, but my baby just loves to dance, he wants to dance, he loves to dance, he's got to dance.*

— Mas que m...?

— *The minute the band begins to swing it, he's on his feet to dig it, and dance the night away. Stop! I'm spinning like a top, we'll dance until we drop...*

É a música mais brega que já ouvi, mas Libby *gosta*. Ela se mexe no banco, dançando na minha direção e depois se afastando. Pisca para mim e grita ainda mais alto, cantando muito mal. Então começo a cantar com ela, meio que na defensiva.

Então começamos a dançar juntos — cabeça para a direita, para a esquerda, ombros para a frente, para trás. Agora gritamos a letra, e eu bato no volante, e ela joga os braços para cima, e é a melhor música que já ouvi, e sorrio para ela.

E ela sorri para mim.

E é um daqueles momentos.

Um momento divisor de águas.

— Preste atenção na estrada, Casanova — Libby diz, com uma voz suave que nunca ouvi sair da sua boca antes. — E lembre que, o que quer que a gente descubra hoje, não vai mudar nada.

Gosto que ela fale *a gente*, como se estivesse comigo nessa.

—Você ainda é Jack Masselin. Ainda é um pé no saco. Ainda é você.

LIBBY

Estou tendo um daqueles momentos com Jack Masselin. Se você me perguntasse há duas semanas ou mesmo há dois dias se eu poderia imaginar uma coisa dessa, teria gargalhado até ficar sem ar. Mas a vida fora de casa é assim: a gente nunca sabe o que pode acontecer.

Acho que Jack também se sente assim, mas não tenho certeza.

É bom que também se sinta.

É bom que eu não esteja sozinha nessa, só eu, solitária, tendo um daqueles momentos *sobre* ele, e não *com* ele.

Ajo tipo: *Lalalá, não é nada de mais, vamos para Bloomington ver se você tem mesmo prosopagnosia.* Mas meu coração aperta e solta no peito, palpita e vibra como se fosse fugir e voar pelo carro. Coloco um sorriso no rosto e fico olhando pela janela enquanto penso: *Ah, coração idiota.*

JACK

O laboratório está cheio. Uma assistente nos leva à dra. Amber Klein (cabelo castanho-claro, maçãs do rosto salientes, óculos). Ela está toda de preto, mangas dobradas até o cotovelo e o cabelo preso de um jeito propositalmente bagunçado. Ela deve ter uns quarenta anos. O laboratório também é preto, o chão, as paredes, o teto. A sala é dividida em cubículos por cortinas — pretas, é claro —, e parece que entramos no set de gravação de um videoclipe. Libby está de roxo e eu de verde, e nos destacamos como faróis.

A dra. Klein nos oferece cadeiras atrás de uma das cortinas pretas, e é como se estivéssemos fechados em uma sala bem pequena. Ela liga o laptop e diz:

— Você precisa voltar para casa até o final da tarde, certo?

Ela verifica o horário no relógio de pulso: nove e cinquenta e quatro.

— Temos uma espécie de toque de recolher.

Sorrio para a Libby e ela sorri de volta. Ainda está com o laço acima da orelha esquerda, mas seu sorriso me lembra o da minha mãe durante as sessões de quimioterapia do meu pai. Como se estivesse determinada a melhorar as coisas, mesmo sabendo que era impossível.

— Vou fazer alguns testes com você.

A dra. Klein senta e começa a digitar loucamente no teclado.

— Acho que vou esperar lá fora. — Libby me diz. — Vi um Starbucks aqui perto. Avise quando terminar.

Ela pega meu celular e grava o número dela. Quando me devolve, tenho uma sensação estranha de pânico.

Libby hesita, já de pé.

— A não ser que... quer dizer, eu posso ficar...

Mas percebo que ela não quer, e me pergunto se é o contexto de médico/ cérebro que a incomoda.

— Não, tudo bem.

Fico observando ela ir, o cabelo balançando.

A dra. Klein diz:

— Alguém da sua família tem prosopagnosia?

— Não tenho certeza. Por quê?

— Existem dois tipos principais: a prosopagnosia adquirida e a congênita. Também pode ser sintoma de outros distúrbios, como autismo. Você sofreu uma queda ou teve algum problema no cérebro quando criança?

— Eu caí do telhado quando tinha seis anos.

— E bateu a cabeça?

— Isso poderia causar prosopagnosia?

— Sim. Não é tão comum, mas é possível.

— Bati a cabeça bem forte. Levei pontos.

Instintivamente, passo a mão na linha saltada no meu couro cabeludo.

Ela continua digitando, enquanto penso: *Essa mulher vai analisar seu cérebro. Você não vai conseguir se esconder.*

A dra. Klein quer saber que tipos de exame fizeram depois que eu caí, e se eu reconhecia rostos antes dos seis anos.

A resposta sincera é: *Não sei*. Sim, passei por todos os exames imagináveis para ver que dano poderia ter sido causado ao meu cérebro. Mas eu reconhecia as pessoas antes disso? Não tenho certeza.

— Com certeza seus pais teriam notado uma diferença se de repente você tivesse dificuldade de reconhecer as pessoas.

— Acho que sempre fui bom em compensar e esconder. Mesmo naquela época. Talvez eu reconhecesse as pessoas antes, mas era tão novo...

— Seus pais perceberam alguma mudança no seu comportamento?

— Minha mãe disse que eles esperavam que eu ficasse mais receoso, mas foi o contrário. Ela diz que foi aí que o cabelo dela começou a ficar branco.

Dou um sorriso, mas a dra. Klein está ocupada digitando. Fico ali sentado, olhando em volta, dizendo a mim mesmo: *Coragem, cara, não precisa ficar nervoso.* Em um minuto, ela cruza as mãos no colo e começa a falar.

— Não sei quanta pesquisa você fez, Jack, mas o primeiro caso documentado data de 1883... E há suspeitas de que Lewis Carroll fosse prosopagnósico. Na próxima vez que ler *Alice no País das Maravilhas*, talvez perceba os sinais... Imagino que você tenha desenvolvido técnicas de identificação. O penteado e as roupas podem mudar todos os dias. Conheço uma mulher que identifica as pessoas pela aliança, porque é uma marca que raramente muda...

Ela vai ver tudo o que você está escondendo.

De repente, me sinto nu. Tenho que olhar para mim mesmo para ter certeza de que ainda estou vestido.

O primeiro teste é o dos rostos famosos. É parecido com o que fiz on-line — fotos de celebridades sem o cabelo e as orelhas. A dra. Klein diz:

— Muito bem, Jack. Pode levar o tempo que precisar.

Ela vira o laptop pra mim. Um rosto aparece na tela. Tem formato oval, olhos, nariz, boca. Se eu ficar olhando para ele por bastante tempo, nem vai parecer mais um rosto, mas um planeta crivado por crateras e sombras. Um a um, digito os nomes, mas, para ser sincero, estou inventando.

Quando termino, vamos para o próximo teste. A dra. Klein diz:

— O sistema que processa a leitura de emoções em um rosto não é o mesmo que lê feições. Você costuma reconhecer quando uma pessoa está brava, triste ou feliz?

— Quase sempre. Posso não reconhecer, mas consigo ler os rostos.

— É porque existe um sistema de processamento visual que faz apenas o reconhecimento do rosto, especificamente de humanos. Cachorros ou gatos são identificados pelo cérebro como objetos. É esse sistema que permite que as pessoas vejam o rosto como um todo, e não como partes soltas.

Quero acreditar que acerto todas as emoções que ela me pede para identificar, mas não tenho certeza se consigo.

Depois vem uma série de rostos de cabeça para baixo. Devo relacionar cada um ao rosto de cabeça para cima correto, mas não consigo. Sei que não consigo.

Quanto mais derrotado me sinto, mais elétrica a dra. Klein parece. Ela se inclina sobre o laptop.

— Pessoas que reconhecem rostos normalmente costumam ter dificuldade para identificar rostos de cabeça para baixo, porque isso dificulta o processamento. Então elas começam a avaliar as características uma a uma, como se estivessem identificando objetos. Quem tem prosopagnosia usa esse mesmo mecanismo para todos os rostos, mesmo os que não estão de cabeça para baixo. É diferente com os macacos, que conseguem reconhecer outros independentemente da orientação.

O que eu absorvo de tudo isso é: *Até os macacos se reconhecem.*

— Agora vamos testar seu desempenho com objetos. Assim vamos saber se é um problema apenas de reconhecimento de rostos ou não.

Fico ali relacionando casas, carros, paisagens, animais e de repente começo a pensar: *E se eu confundir essas imagens também, todas essas coisas que nunca tive dificuldade de identificar? E se só achar que reconheço um gato, um cachorro, uma casa, um carro, mas descobrir que nem isso consigo fazer?* Me encosto na cadeira por um tempo e fecho os olhos, desejando sair daqui — estar longe desse computador, desse laboratório, desse campus, da minha cabeça.

A dra. Klein diz:

— Quero que você lembre que todo mundo acerta alguns e erra outros. O teste foi desenvolvido para isso.

O que não faz com que eu me sinta melhor. Mas abro os olhos. E continuo.

O próximo teste é ainda pior. São fotos e mais fotos de mulheres normais, desconhecidas, mais uma vez sem o cabelo e as orelhas. Devo apertar um botão se vir alguma que pareça diferente, mas todas parecem iguais para mim então nem me esforço.

O último teste parece oftalmológico. Encosto o queixo e pressiono a testa contra uma espécie de máscara. A dra. Klein quer que eu fique olhando a tela do computador, onde uma pequena câmera está apontada para minhas pupilas. De acordo com ela, isso vai registrar o método com que eu processo um rosto.

— Pessoas normais analisam as partes centrais do rosto numa sequência triangular envolvendo olhos, nariz e boca. Prosopagnósicos começam com as partes periféricas, como orelhas e cabelo. Eles costumam evitar a região dos olhos.

Parece isso mesmo. Então me pergunto o que a Libby está fazendo e onde está.

LIBBY

Estou no Departamento de Ciências Neurológicas e Neurologia Cognitiva da Universidade de Indiana, em Bloomington, onde há respostas por toda parte. Eu era muito nova quando minha mãe morreu e meu pai e eu conversamos com os médicos sobre o exame. Deixei que ele decidisse se eu devia fazer ou não. Mas agora estou aqui, e posso pedir para falar com um desses médicos ou pesquisadores de jaleco branco. *Minha mãe morreu de hemorragia cerebral, e eu preciso saber se vai acontecer comigo também.*

Fico andando pelo corredor. Com o exame, eles poderiam descobrir se tenho aneurismas no cérebro ou não. Poderiam fechar os que encontrassem e mantê-los sob controle — ou não.

Mas é o seguinte: mesmo que não existam aneurismas no meu cérebro, algumas coisas não vão mudar. Ainda vou me preocupar; ainda vou estar sempre preparada e à espreita, porque a qualquer momento a Terra pode parar de girar. Passei pela pior coisa que poderia me acontecer, e sei muito bem o que o mundo é capaz de fazer.

Um homem de jaleco branco passa e acena com a cabeça. Retribuo o cumprimento.

Ele pode ter respostas, penso.

Fico olhando enquanto se afasta.

Se minha mãe estivesse aqui, o que ela diria?, penso.

Meu celular vibra e quase o ignoro, então lembro que pode ser o Jack.

É uma mensagem da Jayvee.

Libby ausente da escola = questionando Atticus? Pensei em outra coisa. Percebi que, por pior que seja não saber, isso também é alguma coisa. Dá para fazer algo com isso.

E depois:

Quer dizer, tanto quanto uma pessoa que ainda está no ensino médio em Indiana pode fazer.

JACK

Espero a dra. Klein analisar os resultados. Digo a mim mesmo que está tudo bem. Não é nada de mais. *Não é como se você não soubesse que não consegue reconhecer as pessoas. Mas você se vira. Sobrevive. É bom em descobrir marcas identificadoras, e tem feito tudo isso sozinho, sem ajuda ou orientação de ninguém.*

Ainda estou tentando me animar quando a dra. Klein volta. Ela senta na minha frente e diz:

— Você definitivamente tem prosopagnosia. Existem vários graus da doença. Uma pessoa pode ter alguma dificuldade ou ser profundamente afetada por ela. O seu caso é o segundo. Na verdade, é um dos mais severos que já vi.

Agora é oficial.

Não sei se vou me sentir pior ou melhor com a confirmação.

— E agora? Tem cura?

Pelas minhas pesquisas, não, mas isso não quer dizer que a dra. Amber Klein, uma neurologista, não conheça alguma.

Ela dá um sorriso como quem pede desculpas.

— Estamos fazendo muitos avanços, mas por enquanto não existe cura. Ensinamos técnicas que podem ajudar as pessoas a administrar melhor a prosopagnosia. Fazemos treinamentos repetitivos com rostos. Os participantes da pesquisa treinam uma hora por semana. São dez níveis de dificuldade. Um adolescente, um pouco mais novo que você, está trabalhando com a gente há cinco meses, e suas estratégias melhoraram muito…

— Ele reconhece rostos?

— Não, mas a expectativa é que um treino cada vez mais intenso o ajude no dia a dia.

Estou começando a desanimar, e a dra. Klein percebe isso. Ela vira para pegar alguma coisa e, quando volta a olhar para mim, é como se fosse outra pessoa. É como se o quadro tivesse sido completamente apagado.

O que a dra. Klein pegou foi um modelo do cérebro humano. Ela aponta para ele enquanto fala:

— Na parte de trás do cérebro, em cima da orelha direita, bem aqui, existe uma área específica responsável por identificar rostos...

— O giro fusiforme.

Levo a mão à cabeça e passo os dedos sobre a cicatriz mais uma vez, em cima da orelha direita.

— Podemos fazer uma ressonância para obter mais informações. Muitas pessoas com prosopagnosia também têm dificuldades em reconhecer carros e lugares. Elas costumam ter agnosia topográfica, o que significa que se perdem com facilidade e não reconhecem a casa ou o lugar onde trabalham. Podem ter problemas de audição também. A prosopagnosia é crucial para descobrir como o cérebro processa os objetos em geral. Durante muito tempo, consideramos esse órgão uma coisa só, mas agora estamos descobrindo todas essas máquinas individuais, por assim dizer, que são parte dele e não interagem entre si. É como se nem soubessem umas das outras.

— Basicamente, a área de reconhecimento de rostos do meu cérebro ou não existe, ou é defeituosa, ou está desconectada, é isso? E mesmo se eu fizer a ressonância, não tem cura.

— Isso.

Não tem mais nada que a dra. Klein possa fazer por mim e eu sei disso e ela também.

— Sugiro que você conte às pessoas, pelo menos à sua família. Conte o que tem. Vai facilitar as coisas no longo prazo.

Pego o celular e mando uma mensagem pra Libby.

Acabou aqui.

E, para mim, acabou mesmo.

— Mais uma coisa, Jack. A maioria das pessoas que nasce com prosopagnosia não espera nada do rosto. Assim como uma pessoa que nasce cega só conhece o *não ver*, quem nasce com prosopagnosia não sente falta dos rostos da mesma forma. Já entre os que adquiriram a condição, não é incomum que continuem tentando usar o rosto como principal forma de reconhecimento. É instintivo.

Por algum motivo, ouvir isso é como um soco no estômago. *Eu fiz isso comigo mesmo. Se não tivesse subido no telhado aquele dia... Se eu não tivesse tentado me exibir... Se eu não tivesse caído... não estaria aqui agora conversando com uma neurologista.* Eu devia estar com o coração partido pelo meu eu de seis anos, deitado no gramado, seu mundo mudado para sempre. Mas só quero sair daqui.

— Obrigado, dra. Klein. Preciso ir pra casa.

Ela aperta minha mão, agradece pelo meu tempo e pede desculpas por não poder fazer mais, como se fosse culpa sua. Quero dizer que não precisa se sentir culpada, que não foi ela quem me empurrou daquele telhado, mas em vez disso digo:

— Boa sorte com a pesquisa.

— Jack?

Me viro para ela. Vejo uma mulher de óculos e com maçãs do rosto salientes e cabelo preso.

— Uma em cada cinquenta pessoas tem prosopagnosia — ela diz. — Pensar nisso pode te ajudar. Você definitivamente não está sozinho.

LIBBY

Na volta para Amos, pergunto sobre o teste, mas Jack só dá respostas curtas, *sim, não, sim, não*. Então ficamos quietos. Ele está distante, e sei como se sente, como é querer se fechar em si mesmo. Então não o obrigo mais a falar. Só seguimos em frente.

Percorremos quilômetros sem dizer uma palavra. O silêncio nos cobre como um cobertor. Fico olhando para além da estrada, mas depois de um tempo esse cobertor começa a me sufocar, e é como se estivesse entupindo minha circulação.

Quase digo que cheguei *bem perto* de fazer meu próprio teste, mas o que sai da minha boca é:

— Quero ser dançarina. Não só entrar para as Damsels, mas bailarina profissional.

Em defesa do Jack, ele não sai da estrada. Só repete:

— Bailarina.

Ele ainda está distante. Mas percebo que começa a sintonizar.

— Quando eu era pequena, não só mais nova, literalmente pequena, eu fazia balé. E era muito boa. Tenho uma foto de collant preto, na quinta posição mais perfeita que você já viu. Foi tirada na noite do meu primeiro recital, e eu fui maravilhosa. Depois minha professora disse: *Você nunca vai ser bailarina. Posso continuar te ensinando, mas vai ser um desperdício do dinheiro dos seus pais. Seus ossos são muito grandes. Você não tem corpo para a dança. Quanto antes aceitar isso, melhor.*

— Uau. Que cretina!

— Aquilo acabou comigo. Parei de dançar por um tempo, apesar de tudo o que a minha mãe dizia. Ela queria que a gente procurasse outra escola, mas alguma coisa em mim tinha sido destruída. Eu deixei que aquela mulher fizesse isso. — Fico olhando para ele, concentrado na estrada. — Mas aquela professora não pode me impedir de dançar. Ninguém nunca mais vai me dizer que não consigo. Assim como ninguém devia dizer a você o que pode ou não fazer. Nem você mesmo.

Ficamos em silêncio de novo, mas tudo está mais leve e mais claro. O ambiente melhorou, e Jack está de volta.

— Meu pai está tendo um caso.

— Como você sabe?

— Eu só sei. É com a sra. Chapman. Da escola.

— A professora de química?

— A própria.

— *Sério?* — Tirando o fato de ela ser jovem, não tem nada na sra. Chapman que diga *Seja meu amante.* — E você ainda tem que encontrar com ela na escola?

— É.

— E você tem que falar com ela na escola.

— É.

— Que cretina!

— Sinto muito que as pessoas te provoquem por causa do peso. Sinto muito que o que eu fiz tenha piorado as coisas.

— Sinto muito que você namore a Caroline Lushamp.

Ele ri, e de repente o carro parece quente e cheio de eletricidade.

— Não estamos mais juntos.

Essas quatro palavras nos envolvem, tomando todo o carro, até que ele diz:

— Sinto muito que meus amigos sejam imbecis.

— Sinto muito por você não conseguir reconhecer as pessoas. Se conseguisse, talvez pudesse se rodear de gente mais legal.

Ele ri de novo, com menos vontade agora.

— Tem um lado bom: não tem problema se todo mundo que você

encontra e conhece acaba te irritando ou te chateando. No dia seguinte vão ser pessoas novas. Diferentes.

— Pode ser.

Ele não está rindo agora.

Passamos uma placa na estrada: AMOS: 8 KM.

— A gente pode continuar dirigindo — Jack diz.

— Rumo ao pôr do sol?

— Por que não?

E de repente é como se eu tivesse olhando pra gente do alto — dois foras da lei, Jack Masselin e Libby Strout, sentados no banco da frente de um carro antigo muito foda, as pernas dele a centímetros das dela, as mãos dele no volante, respirando o mesmo ar, tendo os mesmos pensamentos, compartilhando coisas que não compartilham com mais ninguém.

Ele olha nos meus olhos mais uma vez e diz:

— Como alguém recentemente diagnosticado com prosopagnosia, me disseram que não processo rostos como as outras pessoas. Que eu evito os olhos, por exemplo. Mas não pareço ter nenhuma dificuldade em olhar nos seus. Na verdade, gosto de fazer isso. E muito.

Nossos olhos se encontram e não desgrudam.

Tipo, *de jeito nenhum.*

Tipo, não consigo nem pensar em desviar o olhar.

— A estrada — digo, mas quase não dá pra ouvir.

JACK

Penso em tentar alguma coisa. Seria tão fácil — encostar o carro, chegar mais perto, passar a mão no seu rosto, me aproximar um pouco mais (o suficiente para que ela sinta minha respiração), olhar nos olhos dela, olhar dentro dela, talvez tirar o cabelo do seu rosto. Todas as coisas que aprendi para ser o Cara Que as Garotas Querem.

Libby está com a cabeça virada, e só vejo seu cabelo. Quando ela fala de novo, sua voz parece um pouco rouca, um pouco carregada, tem alguma coisa ali.

Essa coisa é:

Talvez ela também goste de você.

O que significa que talvez você goste dela.

Porque alguém também *gostar de você indica reciprocidade de algo que já existe.*

Quer dizer que você gostou dela primeiro.

Quer dizer que eu gosto da Libby Strout.

Merda, eu gosto?

Penso em câncer e naquele velho com prosopagnosia em San Francisco e na dra. Amber Klein e em aneurismas e em como, parando pra pensar, tanto da vida está fora do nosso controle, então decido tomar as rédeas da situação.

Estendo o braço e pego sua mão. É macia e quente e cabe perfeitamente na minha e, para ser sincero, eu não estava esperando nada, mas de repente meu corpo inteiro fica energizado, como se tivesse sido ligado diretamente no sol.

Ficamos olhando para nossas mãos, como se as tivéssemos vendo pela primeira vez.

De repente, lembro que estou dirigindo, então meus olhos voltam para a estrada, mas não solto a mão dela. Faço carinho com o dedão, e quase dá pra sentir a descarga eletrostática, o fluxo de eletricidade entre dois objetos eletricamente carregados que entram em contato de repente. Ela pode criar faíscas elétricas incríveis, mas também pode ter efeitos colaterais, como explosões de carvão e gás. Ao contrário do que acontece com a Caroline, que parece feita de gás e carvão, não há problemas aqui.

Libby é concreta. É real. Enquanto eu segurar sua mão, não vai desaparecer diante dos meus olhos.

LIBBY

Ele pega a saída para Amos. Passamos o posto de informações turísticas e a concessionária da Ford e o shopping e os restaurantes. Passamos as casas vitorianas na rua principal, e o pequeno museu, as quatro quadras do centro e o tribunal. Passamos pela escola e pela faculdade e pelo necrotério, então finalmente chegamos ao meu bairro.

Será que gosto do Jack Masselin? Tipo, de verdade?

Uma hora vou ter que sair deste carro e andar pela calçada e abrir a porta e entrar em casa. Vou ter que fechar a porta — comigo de um lado e ele do outro — e o Jack vai voltar pela calçada, se afastar desta casa, entrar no carro e dirigir para longe. Vou seguir até meu quarto e deitar na cama e me perguntar se isso aconteceu mesmo ou se inventei tudo, e como é que me sinto a respeito.

Jack para e desliga o carro, e nós ficamos olhando para nossas mãos de novo. Não levanto a cabeça, porque se eu fizer isso ele pode levantar a dele e me beijar.

Meu corpo parece prestes a explodir em um milhão de pedacinhos de luz cintilante.

JACK

Quero que ela levante a cabeça. *Levante a cabeça,* penso. *Levante, levante.*

Meu celular vibra, e nós dois pulamos. É o alarme. Só tenho mais trinta minutos para chegar em casa. *Merda.*

Ela nem espera que eu desligue, só solta minha mão como se fosse uma batata quente e sai do carro. Isso quebra o encanto, e eu fico pensando: *O que estou fazendo?*

Quase vou embora, mas em vez disso saio do Land Rover, e ela já está na porta de casa. Pela primeira vez este ano, sinto o outono se aproximando. O ar gelado me faz pensar em fogueiras, mas minha mão ainda está quente. Eu a enfio no bolso e sinto o calor atravessar o jeans e atingir minha pele.

— Obrigada por me trazer até em casa — ela diz.

Sei por sua voz que está nervosa.

Olho nos olhos dela.

—Você é a pessoa mais incrível que já conheci. É diferente. É você mesma. Sempre. Quem mais pode dizer isso? Talvez o Seth Powell, mas ele é um idiota. Você, Libby Strout, não é.

Ela aponta para o meu peito.

—Você gosta de mim.

— Quê?

— O Jack Masselin gosta da garota gorda, mas ainda não aceitou isso.

Tudo bem, penso. *Vamos ver aonde ela quer chegar com isso.*

— Não estou dizendo que você está certa, mas e se eu aceitasse?
— Acho que aí a gente teria que fazer alguma coisa a respeito.
Ela entra em casa e fecha a porta.

LIBBY

Fico do lado de dentro, com o coração pulando. Consigo ouvir o Jack do outro lado da porta. Sinto que está ali. Sei quando se afasta, dois minutos depois, porque o ar ao meu redor volta ao normal, deixando de ser um ar perigoso de tempestade elétrica em que se pode ser atingido por um raio a qualquer momento. Meu coração continua pulando quando o carro se afasta.

JACK

Penso em dizer quando minha mãe passa a salada, quando o Dusty recita as falas do *Peter Pan,* quando meu pai passa o macarrão: *Eu tenho prosopagnosia. É oficial. Fiz um teste hoje com uma neurologista.*

Ninguém sabe que estive fora de casa o dia todo, exceto Marcus, que fica repetindo coisas como:

— Liguei pra casa hoje e ninguém atendeu. Você estava dormindo, Jack? Devia estar, né? Senão teria atendido o telefone.

Ele faz esse tipo de comentário tentando me provocar. Quando mamãe e papai não estão olhando, mostro o dedo do meio para ele.

Meu pai me pega no flagra e diz:

— Ei! Para com isso!

Minha vontade é pedir que ele não fale mais comigo. Minha vontade é dizer: *Você é a última pessoa que deveria repreender alguém, pai.*

Mas estou estranhamente bem-humorado, apesar da dra. Amber Klein e apesar do meu cérebro ferrado. Então não falo nada para o meu pai nem para o Marcus, o que é muito mais do que merecem. Fico viajando, revivendo o caminho de ida e de volta, minha mão na da Libby, o sorriso dela para mim, o jeito como disse: *Acho que aí a gente teria que fazer alguma coisa a respeito.*

Depois do jantar, fico no porão trabalhando no robô de Lego, tentando me perder no processo de construir alguma coisa, mas a única coisa que pareço construir é a maior pilha de peças descartadas do mundo. A etapa mais difícil de qualquer projeto é a criação. Quando já sei o que quero, é só questão de juntar as peças necessárias do modo certo. Mas, no momento, não consigo definir nada. Tenho cinquenta ideias diferentes para cinquenta robôs diferentes, mas nenhum deles é extraordinário o bastante.

Ouço passos e alguém me diz da escada:

— Você estava mesmo doente hoje?

Dusty.

— Não doente tipo com gripe.

— Quer falar sobre isso?

— Não, tudo bem.

Ele fica perto de mim, estudando as peças espalhadas pela mesa de trabalho e pelo chão.

— Quer conversar sobre alguma coisa? — pergunto. — As pessoas continuam fazendo merda com você?

— Tudo bem. Sou o Peter Pan.

E eu entendo. Ele quer focar nesse momento. Os momentos ruins sempre dão um jeito de voltar, cedo demais.

Vou até o quarto e saio pela janela, então subo pela árvore até o telhado. Fico deitado olhando para o céu. Penso que é o mesmo para o qual olhei quando tinha seis anos, antes de cair, e em tudo que aconteceu entre aquele dia e agora. Não deveria ser o mesmo céu. Deveria ser completamente diferente.

Marcus estava brincando no quintal. Subi no telhado para fugir da minha mãe, que ficava o tempo todo me mandando cuidar dele. Foi mais difícil escalar do que eu esperava. Isso me surpreendeu. E foi mais sujo também — encontrei cocô de passarinho e galhos e uma bola que devia estar lá havia uns vinte anos. Nosso telhado não é plano — tem um declive —, e eu corri até a beirada, para olhar para a rua e para o bairro. Fiquei me segurando com uma mão, e Marcus olhou pra cima naquele momento, e eu me soltei porque queria que ele visse que eu era forte e corajoso e maior do que ele jamais seria.

A queda de quatro metros levou menos de um segundo, mas pareceu durar uma eternidade. Quando você cai, dizem que a memória se abre. Você vê coisas que não costuma pensar ou ver ou lembrar. Vi o rosto da minha mãe — especificamente seus olhos. Não consigo lembrar como estavam, mas lembro que os vi.

LIBBY

— Alô?

— É o Jack. Eu estava pensando no que você disse.

— Eu disse muitas coisas. Pode ser mais específico?

— Aquilo sobre fazer alguma coisa quanto a você gostar de mim e eu gostar de você.

— Eu não disse que gosto de você.

Silêncio.

— Jack?

— O que você acabou de ouvir foi meu coração parando do nada.

— *Se* eu gostasse de você, e não estou dizendo que gosto, o que você ia fazer a respeito?

— Provavelmente eu ia segurar sua mão.

— Provavelmente?

— Hipoteticamente falando, sim. Eu hipoteticamente definitivamente ia segurar sua mão.

— Muito bem, eu hipoteticamente provavelmente seguraria a sua também.

— Hipoteticamente eu também ia querer te levar ao cinema, apesar de não gostar de filmes em geral por causa de toda a confusão facial.

— Pra ver o quê?

— Que filme, você diz?

— Preciso saber se seria algo que eu ia gostar.

— Não seria o bastante ficar comigo, hipoteticamente de mãos dadas no escuro?

— Eu gostaria de saber pelo menos que tipo de filme veríamos.

— Hum. Acho que teria que ser algo com um pouco de tudo. Comédia. Drama. Ação. Mistério. Romance.

— Parece um filme muito bom.

— Então você seguraria minha mão durante o filme?

— Provavelmente.

— Tudo bem. Aceito *provavelmente* por enquanto. Eu também ia te levar pra jantar, antes ou depois do filme, e com certeza ia te acompanhar até a porta da sua casa.

— E se eu quisesse ir dançando até a porta?

— Então eu seria seu par.

Seria? É isso que significa essa conversa? Meu coração sai do quarto pulando amarelinha, desce para a sala e sai para a rua.

— Depois de ir dançando até a porta, eu ia te beijar.

— Ia?

— Ia.

Agora meu coração não está nem mais neste planeta. Vejo quando ele passa pela Lua e pelas estrelas e entra pulando em outra galáxia.

— Hipoteticamente.

— Bom, então eu deixaria você me beijar.

— Hipoteticamente?

— Não. Definitivamente.

Quando desligamos, duas horas depois, é 1h46 da manhã. Fico deitada o resto da noite esperando que meu coração volte para o peito.

OS OITO DIAS SEGUINTES

JACK

Na segunda-feira, sento na frente do Kam e do Seth na hora do almoço. Estou pensando no design do robô do Dusty, e pela primeira vez eu *vejo* o robô, finalmente sei o que estou fazendo, então meu sangue corre e meu coração bate como se eu tivesse acabado de cruzar a linha de chegada de uma maratona. Nada, nada mesmo, pode interromper o fluxo dessas ideias, até que o Seth fala:

— Sabe, eu e o Kam temos uma coisa que pode te ajudar a sair dessa situação.

Olho para cima um pouco confuso, porque minha cabeça está no papel à minha frente, não no refeitório da escola. Seth está sorrindo como um chacal e, o que quer que seja, não estou a fim de ouvir.

— Do que você está falando? — pergunto, com muito cuidado.

Seth dá uma cotovelada no Kam que o faz derrubar as três dúzias de batatas fritas que ele pretendia enfiar goela abaixo.

— Que merda, Powell.

Seth continua falando:

— Fiz uma pesquisa ontem à noite.

Ele tira um pedaço de papel do bolso.

— Xi. Pornografia?

Eu devia ter desconfiado. Volto para o papel.

— Não é pornografia. Minha nossa! — Ele tem a coragem de parecer ofendido, apesar de, até onde eu sei, achar que a internet foi inventada para duas finalidades: pornografia e pôquer. — Número um: é fácil falar com elas.

— É fácil falar com quem? — Ainda estou fazendo anotações no papel.

— Com as gordas.

Levanto a cabeça com tanta força que quase fico com torcicolo. Ele está tentando se manter sério, mas não consegue se segurar... Já está rindo.

— Dois: as garotas bonitas nem sempre são legais.

— Isso é verdade — Kam apoia.

— O que é isso aí que você está lendo? — pergunto.

— Dez razões para namorar uma gorda. Encontrei na internet. — Seth sacode o papel e então segura perto do rosto de novo. Lê alguma coisa para si mesmo e volta a rir. Tento pegar o papel, mas ele tira do meu alcance, erguendo o braço. — Três...

Kam arranca o papel da mão dele e me entrega. Amasso em uma bolinha e me preparo para atirar no lixo do outro lado do refeitório, mas não quero que ninguém o pegue, então enfio no bolso de trás. Me aproximo por cima da mesa e dou um tapa na cabeça do Seth.

Ele continua rindo. Kam diz:

— Retardado.

E enfia o resto das batatas fritas na boca.

Sei que Seth acha que está sendo engraçado, mas estou ardendo por dentro, como se houvesse um incêndio florestal inteiro ali.

— Deixa a garota em paz, cara. Estou falando sério — digo.

— Uau. Claro. Que seja.

Ele limpa as lágrimas e tenta recuperar o fôlego. Fica sentado quieto por um minuto e então, depois de uma risada leve, começa a ter outro ataque de riso.

Tento não deixar que me atinja. *Quem liga para o que eles pensam?* Digo a mim mesmo que não é o fato de a Libby ser gorda. Não é isso que me incomoda. Nem estou incomodado. Só quero que me deixem em paz. Que nos deixem em paz. Mas uma parte de mim se pergunta: *E se você for mesmo superficial? E se essa for sua marca?*

—Você é um idiota, Seth Powell.

Pego minhas ideias e o que ainda restou do almoço e saio dali.

LIBBY

A lista de inscrição para o teste da equipe de torcida está pendurada na porta da sala da Heather Alpern. Até agora sete garotas assinaram. Sou a oitava. Jayvee me dá uma caneta e encosto na porta para botar meu nome ali. Atrás de mim, ouço:

— Ah, meu Deus, você vai se inscrever?

Caroline Lushamp olha para mim com desdém e com um sorriso fingido que a faz parecer uma assassina em série.

— Ah, meu Deus, como você adivinhou? — pergunto.

Ela pisca para mim, então para o meu nome na lista, então para a Jayvee, então para mim de novo.

— Imagine só, podemos ser companheiras de equipe — digo. E então a abraço bem apertado. — Vejo você no teste!

Jayvee mal consegue andar de tanto rir. Parece até bêbada. Finalmente, se ajeita e para de rir por tempo suficiente para dizer:

— Então, o que você decidiu sobre a situação com o Atticus? Vai fazer o teste ou não?

— Não. Decidi que ele tinha razão.

— Ele normalmente tem.

Na aula de educação no trânsito, os alunos se dividem em grupos de três para cada carro. Como a maior parte da turma está no primeiro ano, os poucos do segundo ficam juntos: Bailey, Travis Kearns e eu.

Tenho quase certeza de que o Travis está chapado. Ele faz um comentário no banco de trás que sai mais ou menos assim:

— Pisa fundo, grandona... Corre como a porra do vento... Mostra pro mundo o que você é capaz de fazer... Pega essa sua perna enorme e linda e massacra o acelerador... Leva a gente pra Lua, irmã... Leva a gente pra Indy... Indy... Indy... Indy...

Então vêm várias palavras indecifráveis seguidas por uma gargalhada louca.

Bailey está no banco de trás ao lado dele, esmagada contra a porta, o mais longe possível. Mas como ela é a Bailey, mantém um sorriso determinado no rosto. O sr. Dominguez está no banco do carona. Eu estou no volante e não consigo me conter — estou *muito* animada. Minhas mãos formigam e um calor louco sobe dos meus pés até o estômago e o peito. Parece que estou pegando fogo, mas de um jeito que mostra que estou VIVA.

Durante muito tempo parte de mim acreditou que eu nunca ia dirigir, correr ou fazer qualquer coisa normal para as pessoas da minha idade. Meu mundo consistia na cama e no sofá e, depois de um tempo, quando eu não conseguia mais me deslocar facilmente de um para o outro, eu ficava só na cama dia e noite, lendo, vendo TV, navegando na internet e comendo. Às vezes ouvia o Dean, o Sam e o Castiel lá fora e, se sentasse bem reta, conseguia enxergar a rua pela janela e assistir aos três jogando tênis ou futebol ou brincando de pega-pega. Eu via o Dean e o Sam saindo para baladas e encontros (na minha cabeça, eu era o par deles). Via o mais novo, Cas, subindo numa das árvores que rodeavam a casa. Ouvia conversas ao telefone, beijos e discussões. Às vezes via o Cas no meu quintal, olhando para a minha janela, e ficava bem quietinha, querendo que ele fosse embora porque uma coisa era espionar e outra era ser espionada.

Mas agora estou dirigindo, e é por isso que não me incomodo com o Travis tagarelando ou com a Bailey me perguntando se existe alguma coisa entre mim e o Jack que ela devesse saber. O sr. Dominguez interrompe as instruções para mandar aos gritos que os dois calem a boca.

Apesar de ser minha primeira vez no volante, sou boa nisso. É como se nem precisasse me esforçar. Me sinto EM CASA. E de repente percebo que *estou mesmo dirigindo.*

Tipo, *estou dirigindo um carro. Como uma pessoa normal. Como aquela pessoa passando por mim do outro lado da rua. Como a pessoa na minha frente. Como a pessoa atrás de mim. E como todos os pedestres, que provavelmente têm um carro e carteira de motorista. ESTOU DIRIGINDO!*

É mais uma coisa que nunca vou poder compartilhar com a minha mãe, e de repente começo a chorar. Sinto falta dela, mas *olha só pra mim, estou atrás do volante, dirigindo. Estou parada no semáforo. Virei numa rua.*

O sr. Dominguez pergunta:

— O que você está fazendo?

Sem tirar os olhos da rua, respondo:

— Estou chorando. E dirigindo. Estou chorando *e* dirigindo!

Isso me faz chorar ainda mais, de alegria e tristeza.

Bailey se aproxima e aperta meu ombro, e ouço ela fungar.

— Precisamos parar o carro? — o sr. Dominguez pergunta.

— Nunca! Quero dirigir pra sempre!

De repente começo a falar exclusivamente em exclamações. Então verifico os retrovisores e, apesar de o sr. Dominguez não ter mandado, pego a estrada, porque não consigo me segurar. Preciso acelerar mais.

Travis grita:

— Pisa fundo!

Bailey solta um gritinho e gruda no banco.

Ainda estou chorando, mas agora também estou rindo, porque me sinto livre, e nenhum deles é capaz de compreender isso.

— Você nem imagina como é ficar preso na própria casa — digo ao sr. Dominguez. — Este é o melhor dia da minha vida!

Até eu acho que minha risada soa maníaca, mas não é assim que me sinto. É um riso grande e sincero e sem fim, como se eu pudesse rir até o fim da minha vida sem parar.

Por mais ridículo que pareça, estou falando sério. *Este é o melhor dia da minha vida.* Estou na estrada agora, e tudo passa por mim correndo, então começo a correr também, como todo mundo, como se o lado de fora fosse meu lugar. Como se eu pudesse dirigir até as nuvens, impulsionada pela alegria e pela liberdade.

Alguém liga o rádio — toca "All Right Now", do Free. Pelo retrovisor, vejo Travis sacudindo a cabeça e a coitada da Bailey se agarrando no meu banco, o cabelo loiro pra todo lado. A música continua tocando enquanto mudo de faixa. De repente, todos nós, até a Bailey, estamos cantando o refrão.

A duas quadras da escola, o sr. Dominguez nos faz subir os vidros e sentar direito. Mas quando paro no estacionamento, ainda estamos cantando.

JACK

Depois da Roda de Conversa, Libby e eu saímos do ginásio juntos. Subimos a escada e andamos pelos corredores, lado a lado, então vamos para o estacionamento. Quero pegar a mão dela, mas não pego, e meu cérebro se agarra a isso com força. *Por que você não pega a mão dela?* O Keshawn, a Natasha e os outros estão na nossa frente, então somos só nós dois.

— Eu estava pensando, hipoteticamente falando, se você sairia comigo neste fim de semana — digo.

Ou ela finge pensar a respeito ou de fato pensa.

— Sem pressa. Você tem aproximadamente uns dois minutos pra responder.

— Antes que a proposta perca a validade?

— Antes que eu pergunte mais uma vez.

Ela dá um sorriso todo furtivo e sedutor. Em voz baixa, responde:

— Acho que pode ser divertido. Hipoteticamente.

LIBBY

Jack chega cinco minutos adiantado. Seu cabelo está gigante e descontrolado, como de costume, mas úmido, como se tivesse acabado de sair do banho. Estou sentada ao seu lado no sofá, e o Jack tem cheiro de sabonete e de *homem.* Tento não ficar olhando para suas mãos, que estão sobre os joelhos, nem para sua pele, que parece ainda mais brilhante em contraste com o azul-escuro do jeans.

Avisei meu pai que o Jack viria. Que ele agora é meu amigo. Que vai me levar pra sair, O PRIMEIRO ENCONTRO DA MINHA VIDA. *Sim, o mesmo Jack que você conheceu na sala da diretora.*

Prendo a respiração enquanto estamos ali, nós três (quatro contando o George, que olha para o Jack de cima do encosto da poltrona do meu pai), em um estranho triângulo de muitas coisas não ditas. Os dois estão batendo papo, e o Jack é quem mais fala. Meu pai fica olhando para ele como se estivesse tentando descobrir suas reais intenções. Não está sendo exatamente caloroso e amigável, tampouco está sendo grosso, e eu agradeço por isso.

Mas então o sr. Will Strout diz:

— Você pode imaginar como fiquei surpreso quando a Libby me disse que queria sair com você.

— Posso.

— Eu sei que minha filha é incrível, mas a questão é: você sabe?

— Estou descobrindo isso.

— Ela parece confiar em você, então quer que eu confie também.

— Sei que deve ser difícil. Tudo o que posso fazer é tentar provar pra vocês dois que mereço essa confiança.

— Você pode me dar três bons motivos para eu deixar que ela saia desta casa com você hoje?

— Eu agi como um babaca, mas não sou um babaca. Nunca quis machucar sua filha. Não faria isso conscientemente.

Meu pai olha pra mim, e tento retribuir o olhar de um jeito que diga: *Por favor, perdoe o Jack e me deixe sair. Não quero morrer sozinha. Gosto dele, mesmo que você ache que é loucura. Por favor, por favor, confie em mim.*

Ele diz para o Jack:

— Aonde você está pensando em levar minha filha?

Ele fica falando *minha filha* como se quisesse dizer *ELA É MINHA FILHA, SANGUE DO MEU SANGUE. VOU MATAR VOCÊ SE FIZER ALGUMA COISA CONTRA ELA!*

— Pensei em ir ao cinema e comer alguma coisa.

— Vocês precisam voltar até as onze.

Eu: Já estou no segundo ano.

Pai: É verdade.

Eu: Que tal meia-noite?

Pai: Que tal dez e meia?

Eu (para o Jack): Preciso estar em casa às onze.

Jack (rindo): Sem problemas. Estaremos aqui às onze, se não antes.

Não muito antes, penso.

— Quando foi a última vez que você levou seu carro para a revisão? — meu pai pergunta.

Agora não sei dizer se ele está só mexendo com o Jack ou se está falando sério. Tento mandar uma mensagem telepática: *Por favor, pare. Por favor, pega leve.* É muito provável que ele destrua minhas chances antes que eu mesma possa fazer isso. Talvez o Jack não seja minha última esperança de encontrar alguém, mas com certeza é minha melhor oportunidade no momento. Além disso, eu gosto dele.

Gosto do Masselin.

— Em agosto. Na verdade, eu mesmo fiz a revisão. Sou bom com máquinas.

Meu pai fica analisando o Jack pelo que parece ser o resto da minha vida.

— Sabe, eu e seu pai estudamos juntos. Jogamos no time de futebol da escola.

E não é exatamente *Estou tão feliz por você levar minha filha pra sair*, mas já é alguma coisa.

No carro, digo:

— Sinto muito pelo meu pai.

— É sério? Ele tem todos os motivos para me odiar. No lugar dele, não me deixaria chegar nem perto de você.

Mas tudo o que eu escuto é: *Só quero ficar perto de você, Libby Strout. Quero te beijar até sua boca arder.*

Jack continua:

— Ele só está te protegendo, e está certo, principalmente depois do que eu fiz. Vou ser assim se um dia tiver uma filha.

Mas o que eu escuto é: *Eu sempre vou te proteger. Vou cuidar de você e da nossa filha, a que vamos ter depois que nos casarmos, e vou te amar pra sempre.*

Estou no mesmo carro, mas quinze anos adiante — em algum lugar longe de Amos. Jack Masselin está ao meu lado, como agora, e nossos filhos estão no banco de trás, ou talvez só a tal filha, e minha mão está na perna dele. Fico olhando para sua perna e depois para sua mão no volante. *Aposto que vai ser um pai incrível.*

Não sei para onde vamos, mas seguimos em direção ao lado leste da cidade, onde ficam os restaurantes e o cinema. É onde eu e meu pai morávamos até terem que destruir nossa casa para me tirar lá de dentro.

Como se pudesse ler minha mente, Jack pergunta:

— Vocês não moravam deste lado da cidade?

— Sim. Então, para onde estamos indo?

Ele sorri para mim e eu derreto no banco do carro. Meu corpo parece quente e suave por dentro, e aproveito essa sensação, porque ela não acontece com frequência. *Você pode ficar feliz*, ouço Rachel dizer. *Pode se permitir aproveitar os bons momentos.*

Hoje pode ser a noite. Minha noite de Pauline Potter. Jack Masselin, você pode muito bem ser o primeiro.

— Pensei em comer alguma coisa e depois ver o que acontece.

Mas ele poderia muito bem ter dito: *Vou te levar até a Lua, e recolher estrelas pra te dar no caminho.*

De repente estou pensando na filha que vamos ter. *Beatrice*, penso. *Esse vai ser o nome dela.*

Passamos na frente do Olive Garden, do Applebee's e do Red Lobster que abriu mês passado. Estou fazendo uma lista mental de todos os restaurantes da cidade — não são muitos —, mas passamos um por um. Parte de mim acha que ele vai fazer a volta e me levar pra casa, sem comida, sem encontro. Ou atravessar a fronteira de Ohio, onde ninguém vai reconhecer seu rosto ou o meu.

Então saímos de Amos, e eu murcho um pouco, o que quer dizer que na verdade eu não esperava que ele fizesse isso, mas está fazendo — me sequestrando como se eu fosse a filha de um barão do petróleo.

— Pra onde estamos indo? — pergunto desanimada, como se tivesse sido atropelada por um caminhão umas cinquenta vezes.

— Richmond.

— *Richmond?* — A palavra sai em um tom de *VOCÊ ESTÁ FALANDO SÉRIO? RICHMOND?! POR QUE NÃO AMARRA UMA PEDRA NO MEU PÉ E ME JOGA NO RIO?*

— Sim, Richmond. Não vou te levar num desses lixos que tem na cidade. Não vestida assim.

JACK

A Clara's Pizza King é quase patrimônio nacional. É a melhor pizzaria em um raio de quilômetros, e tem um ônibus de dois andares vermelho no meio do salão. O lugar está lotado, mas eu fiz reserva. Podemos sentar no ônibus ou em uma mesa de canto no andar de cima que tem um balanço. Libby escolhe a segunda opção.

Andamos entre as mesas, a Libby na minha frente, e vejo as pessoas olhando para ela. Isso acontece quando estou com a Caroline — todo mundo olha. Mas elas olham para Caroline porque ela é do tipo alta e gostosa, para quem as pessoas sempre olham.

Conforme andamos, noto um ponto em que a passagem é estreita e a Libby vai ter que se espremer para passar. Me ofereço para ir na frente, porque assim posso escolher por onde ir e ela não precisa se preocupar com isso. Vou abrindo caminho, e as pessoas ficam encarando, e de repente me dou conta de que até há pouco tempo eu era assim. Talvez não como os que riem, mas como os que estão sentados com eles. Não sei o que sentir ou fazer, então encaro de volta. *Será que conheço essas pessoas?* Nem me importo. Ficam olhando para nós, e uma mesa de garotos começa a falar merda. Será que a Libby está ouvindo? Não sei dizer. Provavelmente. Jogo a cabeça para trás — um movimento que gosto de acreditar que deixa meu cabelo instantaneamente umas vinte vezes maior, e eu uns três metros mais alto — e encaro. Eles param de falar.

No andar de cima, Libby senta no balanço, e agora posso ficar do outro lado da mesa ou ao lado dela. *Que se fodam as pessoas encarando*, penso.

— Esse lugar está ocupado? — pergunto, apontando o balanço.

— Você não precisa fazer isso.

— O quê?

— Sentar ao meu lado.

— Chega pra lá!

Ela vai mais para o lado e ficamos balançando, como se estivéssemos dando um tempo na varanda de casa em uma tarde de verão. Cada mesa tem um telefone — daqueles antigos, com fio. Depois de fazer nosso pedido, pego sua mão.

— Minhas mãos estão suadas — digo.

— Por quê?

— Estou nervoso.

— Por quê?

— Porque estou sentado ao seu lado neste balanço e você está linda.

Ela hesita, como quem não tem certeza se deve aceitar o elogio. Então diz:

— Obrigada.

Sair para o mundo com a Libby é diferente de estar sozinho com ela. Para começar, tem as outras pessoas. Eu fico na defensiva, pronto para encarar qualquer um que mexa com ela ou comigo. Isso me faz pensar no peso dela de um jeito que eu ainda não tinha realmente pensado até agora.

Ficamos sentados em silêncio, então decido contar sobre a dra. Amber Klein e os testes. Digo tudo o que não tinha contado sobre Jack Masselin, Cobaia de Laboratório. Libby não diz nada, mas sei que está ouvindo. Ela fica com a cabeça inclinada e vejo em seus olhos que absorve tudo.

Finalmente, pergunta:

— Como você está se sentindo?

— Do mesmo jeito. Talvez um pouco pior. Talvez um pouco melhor.

— Vai contar pros seus pais?

— Acho que não. Não sei se adiantaria. Quer dizer, não tem nada que nenhum de nós possa fazer, tipo baixar um software de reconhecimento facial para o meu cérebro. Contar não vai me curar. Eles só vão ter mais coisas com que se preocupar.

— Sinto muito. Queria que tivesse alguma coisa que eles pudessem fazer por você. Não que seu cérebro não seja incrível do jeito que é, mas porque você se sentiria melhor.

Agora é a minha vez de não dizer nada. Fico olhando para ela até parecer que somos só nós, a Libby e eu, e mais ninguém em um raio de quilômetros. O que eu mais quero é beijar essa garota. Quase faço isso, mas então a garçonete chega com nosso pedido.

Enquanto comemos, Libby fica olhando em volta. Finalmente ela olha para mim e diz:

— Então, Richmond?

Alguma coisa no seu tom de voz me faz largar o copo.

— Achei que você ia gostar daqui.

— Eu gostei. Mas por mim a gente podia, sei lá, ter ido a algum lugar em Amos.

Ela fica olhando para o ônibus.

— Olha só, eu posso estar escondendo a coisa da prosopagnosia, mas isso não significa que quero que tudo na minha vida seja segredo. Não quero que você seja. Jamais te esconderia, se é isso que está pensando.

Enquanto falo, fico me perguntando: *É isso que estou fazendo?*

Ela fica olhando para a mesa, para o cardápio, para qualquer lugar, menos para mim.

— Puta merda. Era isso que você estava pensando. Que eu te trouxe aqui para que ninguém visse a gente.

— Não.

— Que bom, porque seria loucura.

Então por que você a trouxe aqui, babaca?

— Quer dizer, sim.

— O.k., talvez não seja loucura você pensar isso. — Ela olha para mim. — Tudo bem, eu entendo. Sou o rei da babaquice e você até confia em mim, mas nem tanto. Você não me conhece bem o suficiente pra saber até onde a babaquice vai.

E, o tempo todo, fico me perguntando: *Até onde vai? E se for mais longe do que você pensa?*

Ela diz:

— Talvez não.

Odeio seu tom cuidadoso e fechado, porque é como uma cerca entre nós.

— Olha só. Eu te trouxe aqui porque é melhor que qualquer lugar em Amos. Eu te trouxe aqui porque quando eu tinha seis anos caí do telhado de casa e meu pai entrou escondido no hospital com uma pizza da Clara's, e esse tipo de memória é bem raro pra mim agora, do meu pai sendo um cara legal. Eu te trouxe aqui porque foi o primeiro lugar aonde quis ir depois que deixei o hospital, quando já estava bem o suficiente para sair. Eu te trouxe aqui porque é um dos poucos lugares em um raio de cem quilômetros, se não em todo o estado, que não é sem graça ou comum. Porque *você* não é sem graça ou comum.

Então percebo que *cada palavra é verdadeira.*

Passo por cima da cerca para pegar sua mão. Beijo as duas juntas, depois uma a uma. O tempo todo fico pensando: *Como é que essa garota pode significar tanto pra mim?*

— Libby Strout, você merece ser vista.

— As pessoas não conseguem não me ver — ela diz olhando para a toalha na mesa.

— Não foi isso que eu quis dizer.

Ficamos ali balançando, e agora estou me torturando por ter trazido a garota aqui. Eu devia ter ido ao Red Lobster, onde seríamos vistos por todo mundo da escola, talvez até pela Caroline, e onde meus amigos idiotas poderiam estragar nosso encontro com sua idiotice.

— Espere aqui — digo.

Levanto, desço a escada e vou até o jukebox, que fica na parede atrás do ônibus. É o mesmo em que meus pais ouviam música quando vinham aqui há uns sessenta anos. Enquanto analiso as opções, fico pensando em como a Libby Strout me faz querer dirigir cinquenta quilômetros até um lugar que seja quase bom o suficiente para ela e correr por um restaurante lotado para encontrar a música perfeita.

É aí que vejo. Jackson 5. Escolho aquela que estava procurando e algumas outras, de bandas como Sly and the Family Stone e Earth, Wind & Fire. Então volto para a mesa no canto noroeste superior, com a garota de vestido roxo.

Ela diz:

— Você não precisava fazer isso. Não precisa fazer nada. Estou sendo boba.

— Você jamais conseguiria ser boba.

— Ah, conseguiria.

Ela pega um pedaço de pizza. Pego um também. Comemos em um silêncio constrangedor.

De repente a música começa a tocar e, sério, é *a música*. Limpo a boca com o guardanapo e o jogo para o lado. Fico em pé e estendo a mão.

Libby pisca para mim.

— O que foi?

— Vamos.

— Onde?

— Só vamos.

Eu a levo lá para baixo, para o centro da pizzaria, no espaço aberto, na parte da frente do restaurante, perto da entrada do salão. Então a giro e começamos a dançar. *Bem lentamente.* "I'll Be There" seria a escolha óbvia, mas preferi "Ben". Se existe uma música que foi escrita para nós dois, é essa. Duas pessoas feridas e solitárias que talvez não estejam mais tão feridas e solitárias.

De início percebo que todos os olhos estão em nós dois, mas então os rostos desaparecem e somos só a Libby e eu, minhas mãos na sua cintura, aquela *mulher* nos meus braços. Estamos em perfeita sincronia, nos movendo juntos, decidindo o que fazer conforme fazemos.

LIBBY

Sinto as lágrimas queimando no fundo dos olhos. Cada verso é sobre mim, Libby Strout. É sobre nós, mas principalmente sobre mim. E também sobre Jack. *Meu Deus.*

Posso chorar nos braços dele enquanto um restaurante cheio de estranhos observa ou posso engolir e enterrar as lágrimas. Engulo. E engulo. Não vou deixar que saiam. De repente, ele se aproxima e, simples assim, sem dizer uma palavra, beija meu rosto, primeiro uma bochecha, depois a outra. Jack me beija onde as lágrimas estariam se eu tivesse deixado que caíssem, e é a coisa mais carinhosa que alguém além da minha mãe já fez. De repente sou tomada por uma sensação de segurança e acolhimento que não sentia há muito tempo. É a sensação de que tudo vai ficar bem. *Você vai ficar bem. Talvez já esteja. Vamos ficar bem juntos, só nós dois.*

Inspiro fundo e não respiro mais até a música acabar. O jukebox passa direto para a próxima faixa, que é rápida, graças a Deus. Jack me solta e diz:

— Quero ver você me acompanhar!

E ele dança, ocupando todo o espaço.

— Será que você aguenta?

De repente estou dançando também, e parecemos dois loucos, e não estou mais com vontade de chorar, nunca mais.

— Saca só o Cabelo Explosivo! — ele diz.

Ele chacoalha a cabeça para a esquerda, para a direita, para o centro.

Tem uma vantagem injusta, porque seu cabelo é muito maior, mas faço o que posso para balançar o meu por toda parte.

— Saca só o Relâmpago! — digo.

Eu pulo e me sacudo, pulo e me sacudo, como se estivesse levando um choque. Ele começa a fazer o mesmo e, de repente, olho em volta e noto que algumas pessoas estão de pé, dançando ao lado da mesa.

— É a revolução da dança! — Jack diz.

Ele pega minha mão e me gira, e me gira, e eu giro como um peão e dou risada. Penso em como o mundo seria maravilhoso se todo mundo dançasse em qualquer lugar.

Jack me leva até a porta de casa, e espero que ele me dê um beijo de boa-noite, mas em vez disso ele me abraça. Não é um abraço do tipo Rodeio das Gordas. É um abraço caloroso e envolvente, de um jeito bom, e sinto cheiro de sabonete e ar livre nele, como se tivesse rolado na grama recém-cortada. Quero que me abrace para sempre, mas então ele se afasta e fica me encarando com os olhos semicerrados.

— Boa noite, Libby.

— Boa noite, Jack.

Entro em casa e meu pai está me esperando. Conto sobre o jantar e então vou para o quarto e fecho a porta e sento na cama e penso: *Por que ele não me beijou?*

Meu celular vibra. **Melhor encontro da história.**

Seguido de: **Não vejo a hora de repetir.**

Seguido de: **Essa tal Mary Katherine realmente te lembra da gente? Ela parece completamente fora da casinha.**

Escrevo: **É, mas de um jeito fofo. Ela guarda um segredo, e ninguém a entende. Não vê a relação?**

Ele responde: **Ah, eu não disse que não vejo, mas espero que não ache que somos tão malucos assim.**

Eu: **Acho que somos ainda mais.**

Jack: **Pode ser.**

Alguns minutos depois, ele escreve: **Não consigo parar de ler. Acho que foi o melhor presente de aniversário que já ganhei, junto com a máquina de solda de quando fiz nove anos.**

Eu: **É por isso que gosto de você: é inteligente e viril ao mesmo tempo.**

Jack: **Essas são apenas duas das várias coisas que você gosta em mim. E não vou nem começar a falar das coisas que gosto em você. Ou nunca vou terminar de ler esse livro, e minha intenção é fazer isso agora.**

Ele fica mandando mensagens a noite inteira, com breves comentários conforme vai lendo. Depois de um tempo, me deixo cair nos travesseiros, com um sorriso enorme no rosto. Jack pode não ter me beijado depois do nosso encontro, mas é quase definitiva, absoluta e irrevogavelmente certo que ainda vai me beijar.

JACK

Na segunda-feira de manhã, uma garota alta com pele escura e uma pinta falsa no rosto me encontra na frente do meu armário.

— Jack.

Caroline.

— Oi?

Melhor garantir, caso não seja ela, mas outra garota alta com a pele escura e uma pinta falsa ao lado do olho.

— Como foi seu fim de semana?

— Bom. Obrigado por perguntar.

— Você sabe o que as pessoas estão dizendo, não sabe?

Lá vem.

— Que eu sou *o* cara?

— Sobre aquela garota. A Libby Strout. E você. Está todo mundo falando que vocês estão *juntos*. Que estão *namorando*. Eu fiquei, tipo, *eu sei que isso não pode ser verdade*, mas elas disseram *não, é verdade*. Eles foram na Clara's.

— Quem são "elas"?

— Não importa.

Ouço a mágoa em sua voz, enterrada sob todo o veneno. Minha vontade é dizer *Você pode agir como uma pessoa. Estamos todos com medo. Todos nos machucamos. Tudo bem. As pessoas gostariam muito mais de você se você fosse humana.*

— Não estamos mais juntos, Caroline, então… Bem… não quero ser grosso, mas o que você tem a ver com isso?

— Acho bacana você ser legal com ela depois do que fez, mas estou preocupada com ela. Garotas assim... é melhor não brincar com elas, Jack. — Caroline faz que não com a cabeça. — Pode acabar magoando.

— Ainda não definimos nada, mas com certeza gosto de ficar com ela, se é o que você está querendo saber. Eu acho que ela é uma garota legal? Sim. Acho ela bonita? Sim. De verdade. Não estou brincando com ela. Tem mais alguma pergunta?

Ela fica ali parada, a postura perfeita, a Caroline perfeita, e diz:

— Sabe de uma coisa? Você se acha o máximo, mas não é.

— Eu sei. Mais um motivo pra ficar feliz por ela gostar de mim.

Em casa, remexo a pilha de roupas no chão do meu quarto até encontrar a calça que quero. Pego a bola de papel amassado no bolso de trás. *Dez razões para namorar uma gorda.*

Me obrigo a ler de novo. É como se eu precisasse provar a mim mesmo de uma vez por todas que ela é gorda e não ligo.

Cada palavra me deixa enojado. *Como poderia não me sentir sortudo por essa garota gostar de mim?*

Desço até a cozinha, vou até o fogão, acendo uma das bocas e deixo aquilo sobre a chama até pegar fogo. Seguro o papel longe do fogão e fico assistindo às palavras queimando. Então jogo o que resta do papel na pia, onde ele queima até restar apenas uma pilha de cinzas. Ligo a torneira e deixo irem pelo ralo. Para garantir, ligo o triturador de lixo.

Quando volto para o quarto, ligo para Libby.

— Terminei o livro — digo quando ela atende.

— E?

— Primeiro: é bastante assustador. Segundo: a Mary Katherine Blackwood é uma doida varrida. Terceiro: entendi por que você ama esse livro. Quarto, talvez ele tenha me feito pensar um pouco em nós dois, mas quero reforçar que somos mais equilibrados. E quinto: acho que seria incrível viver em um castelo com você.

LIBBY

Na minha mesa de cabeceira, debaixo dos fones, do hidratante labial e de alguns marcadores de página, tiro um bilhete escrito em papel de carta com estampa natalina.

> ***Estas são para dançar sozinha no palco***
> ***Ou no seu quarto***
> ***Ou em qualquer lugar que seu coração desejar.***
> ***São para dançar nos seus sonhos...***
> ***em direção ao seu futuro...***
> ***por amor, criatividade e alegria...***
> ***porque é isso que você faz.***
> ***Porque é quem você é, independente de qualquer coisa,***
> ***por dentro e por fora.***
> ***Então continue***
> ***dançando.***

As sapatilhas que vieram com essa carta estão no meu armário. São do Natal anterior à morte da minha mãe. Serão para sempre o último presente que ela me deu. São importantes para mim, por isso nunca as usei.

Mas neste momento estou sentada, tirando as sapatilhas da caixa e calçando. São clássicas, cor-de-rosa, e a coisa mais bonita que eu tenho. Ela comprou maiores do que eu usava na época, mas agora estão pequenas e fica difícil andar com elas, mas vou até o laptop e coloco uma música. Escolho Spice Girls, que minha mãe amava em segredo. A música "Who Do You Think You Are" me faz pensar nela, em mim, em para onde vou, no que quero ser.

O teste para as Damsels é sábado. Sei a coreografia de cor. Poderia fazer dormindo. O que faço agora é uma dança improvisada, mistura de balé com hip hop e dance. Estou incrível. Sou a melhor bailarina do mundo. Uma estrela. As sapatilhas são mágicas. Meus pés são mágicos. Eu sou mágica.

SÁBADO

JACK

Marcus (alto, cabelo desgrenhado, queixo pontudo) está na frente da pia da cozinha, enfiando comida na boca. Estou colocando café em uma xícara quando ouço:

— Eu disse não.

Uma mulher entra e é seguida por um homem com camiseta da Brinquedos Masselin. A boca dele está aberta no meio de uma frase, mas ele a fecha quando nos vê. Só podem ser meus pais.

— Largue o café agora — minha mãe diz para mim. — Vamos conversar sobre isso mais tarde — ela diz para meu pai, e sei que estão brigando.

Minha mãe pergunta ao meu pai o que quer que ela faça, e parece que ela está engolindo facas, como se estivesse no circo. Tento não ouvir, mas sinto meu corpo inteiro entrar em estado de alerta. É o que acontece quando eles brigam.

— Hoje à noite — meu pai diz.

— Hoje à noite não.

Marcus e eu nos entreolhamos.

— E agora? — ele faz para mim com os lábios, sem emitir som.

Meu pai continua falando com a minha mãe:

— Podemos fazer isso devagar ou como quando se arranca um esparadrapo, Sarah.

— Eu disse que hoje não. — Ela fixa os olhos em mim e não está feliz. — Preciso que vá buscar o Dusty depois que fizer suas coisas hoje.

— Onde? — pergunto.

— Na casa da Tams.

Buscar o Dusty, o Marcus ou qualquer outra pessoa costuma ser a última coisa que aceito fazer. Imagine não reconhecer as pessoas e ter que ir atrás delas em um lugar desconhecido. Mas hoje não vou discutir com minha mãe.

LIBBY

Mesmo com metade das arquibancadas desmontadas, o ginásio novo é enorme. Mal dá para enxergar o teto, e as luzes são ofuscantes. Lá de cima, eu não pareceria maior que uma formiga.

E, de repente, é assim que me sinto: uma formiga.

Minhas mãos estão suadas. Meu coração está apertado. Não consigo respirar direito. Vejo meu coração sair correndo do ginásio a toda a velocidade, como eu gostaria de fazer.

POR QUE ME INSCREVI NISSO?

Heather Alpern e as três capitãs da equipe estão sentadas, com as pernas cruzadas. As garotas estão todas no último ano e parecem idênticas, com o cabelo preso em um rabo de cavalo e o rosto brilhando. A semelhança é quase tão assustadora quanto a beleza da srta. Alpern. Quem me assusta mais é Caroline Lushamp, capitã das capitãs, que fixa o olhar em mim. As outras candidatas estão espalhadas na primeira fila da arquibancada, esperando sua vez.

Caroline diz:

— Está pronta?

Sua voz tem um tom amigável completamente artificial.

Quase não a ouço, porque estou presa na minha cabeça e no meu corpo, tremendo e com medo. De repente é como se eu tivesse prosopagnosia, porque ninguém me parece familiar ou simpático, e meus olhos percorrem todo o ginásio, buscando ajuda. Encontro Bailey, Jayvee e Iris, lá na última arquibancada. Quando percebem que estou olhando, ficam atônitas, talvez conseguindo identificar meu pavor. O que significa que todo mundo provavelmente identifica. Digo a mim mesma para me mexer, para esconder o pavor, então a Jayvee levanta os braços e grita:

— Brilhe como um diamante!

Você se inscreveu porque a dança está em você. Penso em uma coisa que minha mãe costumava dizer. Por mais que seja assustador correr atrás dos sonhos, é mais assustador ainda ficar parado.

— Está pronta? — Caroline não soa tão amigável desta vez.

— Sim — digo. Depois grito: — Sim!

Para o teste, escolhi a música "Flashdance... What a Feeling", da Irene Cara, em homenagem à minha mãe e a mim mesma. Enquanto espero que a música comece, repito comigo: *Muitas pessoas neste mundo acham que o pouco que fazem é o máximo possível. Você não, Libby Strout. Não nasceu para coisas pequenas! Não tem nada de pequeno em você!*

Então a música começa, e eu também.

Rebola, rebola, chuta, chuta. Sacode, sacode.

Levo mais ou menos vinte segundos para esquecer os rostos me encarando e todos aqueles cabelos brilhantes presos para trás e se as garotas nas arquibancadas são ou não melhores do que eu e o fato de eu ser duas vezes maior que todo mundo ali. Depois dos primeiros trinta segundos, desapareço na música. Nos tornamos uma só, eu e a música, eu e a dança.

Chuta. Torce. Vira. Estala, estala. Rebola. Sacode, sacode, sacode. Chuta, chuta. Vira. Torce. Estala. Sacode. Chuta.

Sou levada pelas notas, atravesso o ginásio, subo pelo teto, saio pela porta e corro pela escola, até a sala da diretora, até lá fora, sob o sol.

Vira, vira, vira...

De repente estou no céu. Eu *sou* o céu! Flutuo sobre Amos, pego a estrada até Ohio, e de lá até Nova York e até o oceano Atlântico, e depois Inglaterra, França... Estou em todos os lugares. Sou global. *Sou universal.*

*

Termino, sem ar, e de repente estou de volta ao ginásio. As garotas nas arquibancadas assoviam, de pé. Batem palmas e pés, e minhas amigas são as mais animadas. Na entrada da quadra, vejo Jack Masselin, sujo de tinta e radiante como o sol. Ele bate palmas devagar, e então coloca a mão na testa em uma saudação antes de desaparecer. Todo o pessoal da detenção está pintando a arquibancada hoje.

Heather Alpern diz:

— Libby, você foi incrível.

E, pela primeira vez, olho diretamente para ela.

Então Caroline pergunta:

— Quanto você tem de altura?

Alguma coisa naquela voz alta e homogênea faz meu estômago pesar. As garotas nas arquibancadas ficam quietas e voltam a sentar.

— Um e sessenta e sete.

— Quanto você pesa?

— Cinquenta e cinco.

Todo mundo fica me olhando.

— Desculpa, você quis dizer meu peso físico ou espiritual?

As garotas nas arquibancadas riem. Estou pingando, mas enxugo em cima dos lábios e a nuca com a elegância da rainha Elizabeth.

— O peso determina o tamanho do uniforme que você usaria.

— Existe um limite de tamanho para essa equipe? — pergunto.

Caroline começa a responder, mas Heather Alpern a interrompe.

— Tecnicamente não. Não discriminamos as pessoas pelo tamanho.

Mas elas discriminam. É o que ouço no jeito cuidadoso como escolhe as palavras e o que vejo em seu sorriso tenso.

— Então por que precisam saber quanto eu peso?

Caroline suspira. Alto. Como se eu fosse burra.

— Para saber o tamanho do uniforme. — Então abre um sorriso lento, parecendo uma vilã de cinema. — Você estaria disposta a emagrecer se *quiséssemos* você? — A palavra ecoa pela quadra. — Sabe, se entrasse na equipe.

A srta. Alpern olha para ela.

— Caroline!

— De quantos quilos estamos falando? — pergunto.

Caroline responde:

— Uns quarenta e cinco quilos, provavelmente mais. Cento e quinze, talvez.

O que é ridículo, porque isso significa que eu pesaria o mesmo que o cachorro da minha tia.

Neste momento, volto a ser uma criança na aula de balé, e Caroline é minha professora, me encarando daquele mesmo jeito, que me diz que eu não deveria estar aqui, embora talvez merecesse mais do que qualquer uma delas, porque a dança vive em mim, e tem muito mais de mim do que delas, o que significa que tem *muito mais dança aqui.*

—Você estaria disposta?

— Caroline, chega.

— Quer saber se eu estaria disposta a emagrecer mais de cem quilos para poder dançar em formação e carregar bandeiras *com você*?

Estou queimando de raiva, o que não ajuda muito o suor, mas falo com a voz calma e controlada.

— Sim — afirma Caroline.

Fico olhando fixamente para a srta. Alpern, porque ela deveria ser a responsável aqui.

— De jeito nenhum.

Eu deveria ajudar a pintar a arquibancada e cumprir meu dever, mas não consigo. Em vez disso ligo para Rachel e pergunto se ela pode me levar pra casa.

JACK

Quando terminamos de pintar o vestiário, são quase cinco da tarde. O céu está cinza e o ar pesado, como sempre acontece antes de chover.

Pela janela larga da casa da Tams, vejo um grupo de crianças e penso: *Ótimo*. É por isso que nunca me ofereço para buscar o Dusty: esse tipo de situação é um pesadelo para mim. Não consigo encontrar meu próprio irmão numa multidão, e meus pais acham que ele é novo demais para ter um celular, então não posso mandar uma mensagem para pedir que me espere do lado de fora. Nas poucas vezes que tenho que buscar o Dusty, geralmente espero no carro e buzino.

Como não são apenas Tams e Dusty brincando, e sim um amontoado de crianças de dez anos, é exatamente isso que faço agora. Os pingos de chuva acertam o para-brisa como tiros. Os meninos nem ligam pra mim, então buzino mais uma vez.

Espero mais alguns minutos, então desligo o carro e me olho no retrovisor. O cara que devolve o olhar já teve dias melhores. Ainda está com o lábio partido e um olho roxo clareando, por ter defendido Jonny Rumsford. *Maravilha*.

Procuro qualquer coisa que possa usar para me proteger do dilúvio e esconder um pouco o rosto. Encontro uma jaqueta velha, que deve ser do Marcus, embolada embaixo do banco de trás. Pego e coloco sobre a cabeça enquanto corro pela calçada, enfrentando a chuva. Ouço mil vozes agudas gritando enquanto toco a campainha. A porta abre com tudo, e sou cumprimentado por uma loira de cabelo curto. Acho que é a mãe da Tamara. Ela me convida para entrar. De dentro da jaqueta, respondo:

— Não precisa. Estou todo molhado. Você pode chamar o Dusty?

— Imagina, Jack. Entre.

A mulher abre mais a porta, e o vento carrega a chuva pra cima dela e à sua volta, então eu entro.

— Que temporal! — digo.

— Pois é. Era para eles estarem brincando lá fora. — A mulher ri de um jeito meio histérico, e percebo o quanto ela está cansada.

Espero que Dusty me cumprimente ou se identifique de alguma forma, mas todas as crianças ficam me olhando, e uma delas diz:

— É como se Deus estivesse mijando.

Deve ser uma piada muito inteligente para alguém de dez anos, que só quem tem a mesma idade entenderia, porque todos eles começam a rir até quase cair no chão.

A mulher diz para mim:

— Por favor, me leve com vocês!

Fico ali rindo, tentando parecer calmo e casual. *Pois é, que coisa*. Enquanto isso, tento encontrar o Dusty no meio daquele monte de crianças, mas elas parecem todas iguais. Magrelas, baixinhas, com orelhas enormes. Todas estão com chapéu de festa e só algumas são obviamente brancas. Sinto uma centelha de pânico no peito.

— Quer ficar um pouco? — a mulher pergunta.

— Não, obrigado. Eu e o Dusty temos compromisso. — Coloco a mão na maçaneta como quem diz: *Vamos?* Então digo para o grupo, brincando: — Aquele de vocês que atender pelo nome de Dusty venha comigo agora.

As crianças ficam me olhando. Nesse instante, a centelha de pânico se transforma em um fogo do inferno. Se meu irmão for uma dessas crianças quietas me olhando, ele não está demonstrando.

Então, olhando para o grupo, digo:

— Vamos, cara. Não podemos nos atrasar.

Ninguém cede, então procuro o que mais parece meu irmão (orelhas que se destacam, pomo de adão proeminente, cabelo castanho-acobreado) e falo:

— Se está preocupado com a chuva, pode usar a jaqueta que eu trouxe.

Então, como o dia foi longo e estou cansado de todas aquelas crianças me encarando — e porque estou dizendo a mim mesmo: *Mas que merda. Como é que você não reconhece seu próprio irmão?* —, faço uma coisa que não costumo fazer: vou até eles, deixando pegadas enormes e sujas no tapete, pego o menino pelo braço e o arrasto até a porta.

Ele fica se debatendo e, assim que levanto a cabeça, vejo outro garotinho entrando na sala. Tem orelhas que se destacam e um pomo de adão proeminente e cabelo castanho-acobreado.

— Jack? — Ele começa a chorar.

O garotinho que eu estava carregando até agora grita:

— Me larga!

Então os outros convidados começam a cochichar, e uma das meninas também abre o berreiro. Quando eu solto o garotinho, ele quase cospe em mim.

— Babaca.

E começa a tremer.

A mulher se abaixa na frente dele e então diz com uma voz suave:

— Está tudo bem, Jeremy. Ele só estava brincando, mas acho que percebeu que não teve graça.

Ela me lança um olhar terrível.

— Você acha engraçado vir aqui assustar as pessoas? — pergunta uma ruivinha que pode ou não ser a Tams.

— Não, não acho.

Fico me perguntando quantos deles me conhecem e quantos vão contar aos pais sobre isso. Começo a ficar enjoado e quase saio dali. *Dusty que dê um jeito de voltar para casa. Minha mãe que venha buscar o menino.* Mas é como se o chão estivesse me segurando. Meus pés parecem âncoras. Eles não se mexem. Fico ali, olhando para as crianças olhando para mim, para o garotinho que entrou, para o que ainda está chorando.

— Sinto muito — digo diretamente para ele algumas vezes, mas ninguém está ouvindo. Essas crianças poderiam me matar se quisessem. Elas são tantas e, apesar de serem pequenas, parecem furiosas.

Uma eternidade depois, a mulher fica em pé.

— *Aquele* é o seu irmão — ela diz com a voz fria, como se eu fosse o maior predador de crianças do mundo. Ela empurra o Dusty na minha direção como se quisesse que nós dois fôssemos embora, como se ele, por associação, também tivesse culpa.

Não sou um babaca. Pelo menos não como vocês estão pensando. Tenho um distúrbio chamado prosopagnosia. Quer dizer que não consigo reconhecer rostos, nem mesmo das pessoas que amo.

— Eles crescem tão rápido nessa idade. É difícil acompanhar — digo.

Então pego o verdadeiro Dusty e o carrego para fora. Jogo a jaqueta para ele, que a coloca na cabeça, mas deixa claro que não quer ficar perto de mim, demorando bastante para andar até o carro. Agora estou encharcado, mas seguro a porta aberta para ele, e ao entrar Dusty me olha com lágrimas no rosto e diz:

— Por que você queria sequestrar o Jeremy Mervis?

— Eu só estava brincando.

Ele fica me analisando do mesmo jeito que analisa meus pais, como se não tivesse certeza se pode confiar em mim.

— O quarto ano já é bem difícil sem ser conhecido como o irmão do sequestrador.

Minhas mãos estão tremendo, mas não quero que ele veja, então agarro o volante até as juntas ficarem brancas. Pergunto sobre a festa. Mal consigo ouvir a resposta com o coração fazendo BUM-BUM-BUM contra meu peito.

LIBBY

Rachel quer saber o que aconteceu. *Essa é a pessoa que te ajudou quando você estava na pior. Quando a conheceu, você estava ocupando duas camas de hospital depois de ter sido resgatada da PRÓPRIA CASA. Ela sempre esteve predisposta a te ajudar e sempre te amou, como uma mãe, apesar de não ser.*

Digo que não quero conversar sobre isso, não agora, e ficamos em silêncio durante a maior parte do caminho para casa.

No quarto, abro minha cópia de *Sempre moramos no castelo.* Apesar de ter feito uma coisa terrível, horrorosa, Mary Katherine não sente nada — nenhuma dor, nenhum remorso, nenhuma emoção. Nem mesmo quando as pessoas da cidade invadem sua propriedade e cantam sobre ela.

Merricat, disse Connie, você quer um chá?
Não, disse Merricat, você vai me envenenar.
Merricat, disse Connie, você quer se deitar?
Lá no cemitério vou te enterrar!

Merricat vive feliz em sua casa na companhia da irmã, mas ainda pensa nas pessoas da cidade e deseja que a língua delas queime.

Eu me lembro de sentir tanta dor e tanta raiva a ponto de desejar que a língua de todos os que me magoaram queimasse, principalmente a do Moses Hunt. Mas o fato é que Merricat envenenou toda a família. O único crime que cometi foi ser gorda.

JACK

— Por que você não estava na sala com as outras crianças?

— Eu não queria brincar do que estavam brincando. Fui para a varanda ensaiar minhas falas.

O choro parece ter parado, mas ele ainda não olha diretamente para mim.

— A Tams e os outros não queriam que você brincasse com eles?

Dusty dá de ombros.

— Não acho que sintam minha falta.

— Mas está tudo bem entre vocês dois, né?

Ele demora um pouco antes de cada resposta. O tom de mágoa é perceptível em sua voz. Eu causei aquilo.

— Acho que sim.

Deixo Dusty em paz. Minha cabeça gira e meu coração ainda faz BUM-BUM-BUM.

Quando paramos na frente de casa, ele diz:

— Jack?

— Sim.

Quero que Dusty diga que me perdoa, que me ama mesmo assim.

— Eu queria que você não tivesse tentado sequestrar o Jeremy.

— Eu também.

— E se a mãe da Tams tivesse chamado a polícia? E se você fosse preso? — a voz dele estremece e parece que vai chorar de novo.

— Não vou ser preso. Não teria deixado que me prendessem. Foi só um mal-entendido. Só isso. Eu me confundi.

Ele sai do carro sem dizer mais nada e, enquanto andamos até a porta, eu digo:

— Maninho, você poderia não contar o que aconteceu hoje pra mamãe e pro papai?

A chuva parou, mas ainda a sinto no ar.

Dusty hesita, e percebo que não quer me prometer nada. Nunca. Ele olha para cima e me encara. Está se afastando. Me observa, mas de muito, muito longe. Finalmente, responde:

— Tudo bem.

Depois que ele entra, eu sento na entrada, molhado mesmo, porque ainda não estou pronto para entrar também. Foi um dia longo, e o fim de tarde está quieto e fresco, como uma mão encostando na sua testa quando você está com febre. Fico olhando para a rua e depois para o céu. Minhas mãos ainda estão tremendo. Meu coração pula.

O dia hoje foi muito, muito ruim. Seu cérebro está ferrado. Nunca vai melhorar.

Não sei dizer qual é a aparência do Jeremy Mervis. Se ele aparecesse neste momento, eu não conseguiria reconhecer o garoto. Mas nunca vou esquecer o terror em seus olhos quando o segurei. E nunca vou esquecer a cara do meu irmão observando aquilo.

Poderia ter sido pior.

Fico repetindo isso enquanto tento pensar em cinco situações piores, mas não consigo, porque o que poderia ser pior do que tentar sequestrar uma criança que você não conhece? Minha mente volta cambaleando ao Dusty. Ele tem que suportar um monte de coisas que nunca vou entender, exatamente como acontece comigo, com todos nós. Não sei qual é o fardo dele, mas tenho uma ideia. Dusty é sensível e honesto. Um pouco excêntrico. Tenho quase certeza de que é gay, mas duvido que saiba disso. Como a Libby, ele não vai fingir ser alguém que não é, e não tem medo de ser diferente. Mas os outros nem sempre vão gostar disso.

Não acredito mais em Deus, se é que um dia acreditei, mas faço uma espécie de oração em voz alta. *Mantenha meu irmão seguro. Não deixe que ninguém o machuque. E, falando nisso, a Libby e o velho Jonny Rumsford também. E minha mãe. E o Marcus. E até meu pai.*

Não me coloco na lista porque parece egoísta. Mas talvez pense nisso, só por um minuto. *E talvez eu, mesmo que não mereça. Cuide de mim também.*

Quando entro, minha mãe está no telefone com a mãe da Tams, e meu pai está no telefone com os pais do Jeremy Mervis. Acabou o segredo. Aparentemente todos estão muito, muito putos.

Ela aponta o dedo para mim.

— Jack Henry. Fique aqui.

E aponta para a sala.

Dez minutos depois.

Mãe: O que foi aquilo?

Eu: Talvez eu precise de óculos.

Mãe: Não estou falando só de sequestrar Jeremy Mervis. Estou falando de tudo, Jack. Os problemas na escola. As brigas. Esse não é você.

Eu: Só estou em um momento ruim, mãe. Sou o mesmo garotinho fofo que você criou. Ainda sou seu filho favorito. Ainda sou eu.

Mãe: Não sei o que está acontecendo com nossa família, mas esse comportamento acaba agora. Se tem alguma coisa acontecendo, você precisa contar pra gente.

Esta é a minha chance de despejar tudo, bem ali, junto com a pipoca velha embaixo do sofá e o controle remoto do PlayStation no tapete.

Mãe: Jack? Diga o que está acontecendo.

Mas, neste momento, não sei o que dizer. Tudo o que está errado comigo parece inventado, porque não posso simplesmente mostrar essas coisas — o caso do meu pai, meu distúrbio cerebral.

Eu: Sinto muito. Vou melhorar. É o máximo que posso fazer. — Olho para o meu pai. — É o máximo que qualquer um de nós pode fazer.

E talvez porque saiba que um pouco disso é culpa sua, meu pai diz:

— Acredito em você, Jack, mas o que aconteceu é inadmissível. Você precisa pedir desculpas às famílias.

Mãe: Também queremos que fale com um orientador da escola. O sr. Levine ou outro. Nada de sair por duas semanas. Escola, trabalho, casa. Só isso.

Duas semanas? Me deixe de castigo pelo resto do ano. Aliás, me proíba de ir à escola. Me tranquem em casa como a Mary Katherine Blackwood, como a Libby. Isso faria com que tudo ficasse muito mais fácil.

Sinto como se estivesse todo amarrado. Mãos, pernas, pés. Cada pedacinho de mim. Como se pudessem simplesmente me enfiar em uma caixa e me deixar ali.

Ligo primeiro para os Mervis. Depois para a mãe da Tams. Com uma voz morta, peço desculpas. Digo a eles que ainda estou me recuperando do câncer do meu pai, de todas as coisas que aconteceram na escola.

— Por favor, não castiguem o Dusty pelo meu mau comportamento — digo. — Ele é a melhor pessoa que conheço.

Quando desligo, adiciono um P.S. à minha oração. *Não deixe que ninguém o machuque. Nem mesmo eu.*

LIBBY

Não estou com vontade de dançar, mas calço a sapatilha de ponta rosa. Me jogo na cama e fico sobre os travesseiros. Coloco o George em cima do meu peito e inalo um punhado de pelos. Ele começa a se debater, então o deixo sair, e ele faz uma coisa que nunca fez antes — fica sentado ao meu lado, me acariciando com suas garrinhas afiadas.

Cruzo os tornozelos para poder ver as sapatilhas enquanto encaro a parede. Por um minuto, é como nos velhos tempos — deitada na cama, trancada longe de todo mundo. Finjo que estou na casa antiga, em frente à de Dean, Sam e Castiel, meus amigos imaginários.

Sou Libby Strout, a Adolescente mais Gorda dos Estados Unidos, talvez a Adolescente Mais Triste do Mundo, sozinha no quarto com seu gato, enquanto, do lado de fora, o resto do mundo continua vivendo.

JACK

A noite está fresca e clara depois da chuva. Caminho até a beirada do telhado, até ficar onde eu estava naquele dia, há doze anos, e olho para o bairro e para a casa onde Libby Strout costumava morar.

Talvez, se eu caísse de novo, o choque colocaria tudo de volta no lugar no meu cérebro. Talvez eu visse o mundo e as pessoas de maneiras que não vejo hoje. Talvez conseguisse lembrar de um rosto ou pensar *Mãe* e instantaneamente associar essa palavra a uma imagem completa, com olhos, nariz e boca, como todo mundo faz.

Fico no telhado durante um bom tempo, tentando imaginar um jeito de pular e bater a cabeça exatamente no mesmo lugar. Talvez eu devesse pegar uma pedra e bater no ponto certo em vez disso. Mas e se eu causar mais danos? E se eu ficar com amnésia total e irrestrita?

Sento e depois deito. O telhado está úmido por causa da chuva. Deixo a água encharcar minha camiseta enquanto fico olhando para o céu e todas as estrelas, que parecem exatamente iguais, como um céu coberto de rostos. Digo a mim mesmo: *A Libby é uma dessas estrelas.* Escolho uma e dou seu nome, então mantenho os olhos fixos nela pelo máximo de tempo que posso.

Mas então pisco.

Fique. Fique. Fique.

Não vá embora.

Mas ela se foi.

LIBBY

O telefone toca e é o Jack, a única pessoa com quem quero falar.

Alguma coisa está errada.

Posso sentir na voz dele.

No início, não entendo o que está dizendo.

— Sinto muito — ele fica repetindo, até eu falar para parar.

— Por quê? O que está acontecendo?

— Não posso fazer isso. Achei que podia. Eu queria. Mas não posso. Não é justo com você.

— O que não é...?

— Você merece ser vista, e eu nunca vou poder te ver, não de verdade. O que vai acontecer se você emagrecer? Você ia ter que ficar assim para sempre, essa é sua marca, mas você é muito mais do que seu peso.

— Do que você está falando, Jack?

Mas eu sei, e meu estômago sabe, e meus ossos sabem, e acima de tudo meu coração sabe. Todo o meu corpo está afundando como uma pedra.

Ele diz:

— Não posso ficar com você, Libby. Não podemos fazer isso. Sinto muito.

E desliga.

Simples assim,

Afundo até o chão e de lá para a escuridão profunda do núcleo da Terra.

★

Penso na Beatrice no seu jardim, e em como ela morreu por amor. E então por algum motivo penso em outra história que minha mãe costumava ler para mim, *As doze princesas bailarinas*. Vou até a estante e procuro o livro. Folheio até encontrar. *Libby* está escrito em giz roxo com uma letra bem pequena na saia da princesa mais jovem, Elise. Ela era minha favorita, não só porque fica com o príncipe, mas porque tem o coração mais doce. Elise é quem eu queria ser.

Olho para o cabelo e o rosto e o corpo perfeitos dela. É claro que as pessoas amam ver Elise dançar. Me pergunto o que aconteceria se ela fosse como eu.

JACK

Antes de dormir, escrevo um texto enorme de desculpas para Libby, mas acabo apagando tudo, porque de que adianta? Não vai mudar o fato de que sempre vai ter uma parte de mim que vai estar procurando por ela, mesmo que a Libby esteja bem ali.

NA SEMANA SEGUINTE

LIBBY

Apesar de eu não ter esperança de entrar para a equipe, ainda assim vou até a sala da Heather Alpern para ver se ela divulgou o nome da aprovada.

O papel está na porta. Tem um único nome nele: *Jesselle Villegas.* Digo a mim mesma: *Você não deveria estar surpresa. O que achou que ia acontecer depois de ter falado daquele jeito com a Caroline?* Mas estou surpresa. E decepcionada.

Você nem queria mesmo entrar para as Damsels. Não assim. Não tendo que dançar em formação e carregar bandeiras e receber ordens da Caroline Lushamp. Mas meu coração parece um balão murcho.

Ficamos do lado de fora esperando o sr. Dominguez trazer o carro. Os olhos do Travis estão fechados e ele parece dormir em pé.

— Fiquei sabendo da Jesselle — Bailey diz.

— Está tudo bem. Eu estou bem. — Só para deixar bem claro que estou COMPLETAMENTE BEM, faço um sinal com a mão, bem despreocupado, como se estivesse afastando um mosquito.

Ela diz:

— É culpa da Caroline. Ela é terrível.

— Agora estou livre para ir atrás de outras coisas.

Como dançar sozinha no meu quarto e fazer bonecos de vodu com a cara da Caroline Lushamp.

Enquanto procuro meu gloss dentro da mochila, Bailey lista todas as outras atividades que não envolvem dança ou vodu que eu poderia começar a praticar. Encontro um envelope. Pego e abro, embora possa adivinhar do que se trata.

Ninguém gosta de você. (Eu avisei.)

Levanto a cabeça, com a impressão de que a Caroline vai estar ali, me olhando. Em vez disso, Bailey lê por cima do meu ombro.

— Quem escreveu isso?

— Ninguém.

Enfio o envelope de volta na mochila.

Eu avisei.

Será que ela quer dizer: *Viu? O Jack não te ama.* Ou será que está mais para: *O que te fez pensar que poderia tentar entrar para as Damsels?*

— Libbs, quem escreveu isso?

— Não se preocupe.

— Mas...

— Por favor, Bailey. Eu estou bem.

— Imagino que também esteja bem em relação ao Jack.

— Não quero falar sobre ele.

Ela fecha a boca na hora. Depois, diz:

— Você não pode estar sempre bem. Ninguém está. E eu sei que não liga de ficar sozinha, e que se eu tivesse sido uma amiga melhor você não precisaria ter se acostumado com isso, mas estou aqui agora, e queria muito que falasse comigo.

No carro, peço ao sr. Dominguez que, pelo amor de Deus, coloque uma música, mas não menciono Deus porque isso vai incomodar a Bailey e eu já estou me sentindo mal por ter sido meio grossa com ela. Ele escolhe, claro, um rock clássico da década de 1970. É "Love Hurts". Caso você ainda não saiba, NUNCA ESCUTE ESSA MÚSICA, PRINCIPALMENTE

SE SEU CORAÇÃO ESTIVER PARTIDO. Imediatamente, sinto um nó na garganta, do tipo que faz com que seja impossível engolir ou até mesmo respirar.

Começo a chorar, mas o sr. Dominguez nem pisca.

Vejo o Jack no corredor da escola. Ao lado dele estão Seth Powell e Dave Kaminski, que olha diretamente para mim, quase me atravessando com o olhar, enquanto Jack passa como se eu fosse invisível.

E talvez eu seja.

Como todas as outras pessoas na vida dele.

Sou só mais uma que ele não consegue enxergar.

JACK

A Roda de Conversa foi cancelada hoje porque o sr. Levine tem uma reunião, e sinceramente fiquei feliz. Não quero encontrar a Libby porque sou um covarde e é isso que covardes fazem — evitam encarar as coisas. Saio da escola com o Kam, que pergunta:

— O que você vai fazer hoje à noite? Fiquei sabendo que vai um pessoal na casa da Kendra.

Consigo visualizar a noite como se ela já tivesse acontecido — a casa enorme da Kendra, cheia de cachorros minúsculos latindo, Caroline e as outras falando mal de uma coisa ou outra, todo mundo bebendo até ficar (mais) burro.

— Cara, eu ainda estou de castigo.

Não que iria se pudesse.

Ele começa a me contar uma história sobre o Seth, mas não presto muita atenção porque um carro para e vejo quando uma garota que só pode ser a Libby entra. O carro vai embora e fico pensando: *Levante a cabeça, levante a cabeça*. Mas a Libby nem olha na minha direção.

Encontro a Mãe-de-Cabelo-Solto na cozinha, em pé em frente à janela, bebendo uma das caixinhas de suco do Dusty. Ela parece distraída e distante. Entro tossindo, para que saiba que estou ali.

Ela sorri, mas não olha diretamente para mim.

— O que foi?

— Só estou com sede. — Pego uma caixinha de suco e me escoro no balcão. —Você lembra de quando eu jogava quando era pequeno?

— Claro.

—Você me dizia quem eram os jogadores antes do treino porque eu nunca conseguia lembrar.

—Você sempre confundia todos eles.

— Era muito legal da sua parte fazer isso.

— É o que as mães fazem. — Ela fala isso com tanta naturalidade que a amo ainda mais. Então sorri olhando para o nada, para o passado, e dá uma risada. —Você já era todo marrento. Não sei de quem puxou isso. Não foi da gente.

— Com certeza foi de você.

Ela sorri. Suspira.

— O que foi? — pergunta de novo.

—Você e o papai vão se separar?

— O quê? Por que está perguntando isso?

Minha mãe é forte e direta, mas tem certo medo escondido no fundo da voz, como se eu pudesse saber de alguma coisa que ela não sabe. É como um soco no estômago, e eu queria nunca ter ouvido aquela voz, porque jamais vou esquecer seu som, nem se viver até os cem anos.

— É que vocês não parecem os mesmos ultimamente.

— As coisas estão meio tensas mesmo. — Ela está desconfiada. Dá pra perceber no seu rosto e na sua voz. No modo como cruza os braços. — Mas você é o filho e eu sou a mãe, não importa o quanto cresça ou o tamanho do seu cabelo, o que significa que não quero que se preocupe com isso.

Seu sorriso é um ponto final, mostrando que a conversa acabou. Tem algo de protetor nele que me faz ter um déjà-vu, e de repente tenho seis anos e estou deitado na cama do hospital. Minha mãe segura minha mão. Ela conversa com meu pai e eles estão felizes e aliviados porque vou ficar bem e ele ainda não tem câncer e não conheceu a Monica Chapman. Minha mãe olha para mim e depois volta a olhar para meu pai, e seu rosto parece diferente a cada virada. *Foi ali que tudo começou?* Mas seu sorriso é o mesmo.

Agora, na cozinha, penso em Oliver Sacks, que acreditava que o reconhecimento dos rostos não depende apenas do giro fusiforme, mas da capacidade de relacionar memórias, experiências e sentimentos a eles. Basicamente, ser capaz de identificar o rosto de alguém que você conhece é algo carregado de significado, e também dá significado às pessoas que você conhece e ama.

Minha mãe já significa muito para mim — ela é *minha mãe*, afinal —, mas será que significaria mais se eu conseguisse reconhecer seu rosto?

— Só me prometa que vocês não vão ser um daqueles casais que ficam juntos por causa dos filhos — digo. — Isso só atrapalha todo mundo, incluindo os filhos. — Jogo a caixinha de suco fora. Respiro fundo. — Você merece coisa melhor — digo.

Mas provavelmente não deveria ter dito.

As primeiras tentativas de tecnologia de reconhecimento facial foram feitas nos anos 1960. Cada rosto tem pontos de referência distintos — cerca de oitenta deles —, e a tecnologia é capaz de medir a distância entre eles. Largura do nariz, distância entre os olhos, comprimento da mandíbula. Todas essas coisas são combinadas para criar tipo um mapa do rosto.

Tudo bem, então essa tecnologia está além da minha compreensão. Por outro lado, posso ficar acordado durante horas conectando os fios que compõem o cérebro do robô. É um trabalho delicado, como uma cirurgia. Você pode ter o melhor design do mundo, mas o que todos os livros e vídeos e sites vão dizer é que você precisa de um circuito perfeitamente conectado para que os motores funcionem. Se um único fio estiver desconectado, eles não vão girar e o robô não vai funcionar.

Não posso fazer nada quanto ao meu cérebro, mas posso garantir que *o fio vermelho vai aqui, o preto vai ali. Posso ligar os fios corretamente, posso fazer o motor funcionar.* Vou encher o cérebro desse robô com giros fusiformes perfeitos. Ele não vai ter só um, mas uma centena deles.

LIBBY

Antes do jantar, digo ao meu pai que vou até o mercado comprar "coisas de menina". Dez minutos depois, estou andando pelos corredores, sob as luzes fluorescentes, enchendo uma cesta com besteiras. Tudo o que eu costumava comer — biscoito, salgadinho, refrigerante. Todos me olham, e sei o que pareço: a gorda se preparando para atacar. Não ligo. De repente, quero tudo. Não tem comida suficiente nessas prateleiras, nem mesmo com o Halloween chegando. Pego pacotes de doces, e a cesta fica cheia, então vou até a frente da loja, pego um carrinho e jogo a cesta ali dentro e volto a passar pelos mesmos corredores, completando o espaço vazio com todas as comidas que não peguei antes.

Estou pegando uma caixa de cereal quando sinto meu peito apertar e não aliviar. Fica cada vez pior, como se eu estivesse sendo sufocada por um espartilho. Minhas mãos estão suadas. Sinto uma pressão na cabeça, que parece crescer e encolher ao mesmo tempo. Consigo ouvir minha respiração, tão amplificada que acho que soo como o Darth Vader. Uma mulher no final do corredor fica olhando para mim. Ela parece assustada. Um garoto com uniforme do supermercado se aproxima, deve ter uns dezesseis anos.

— Você está bem? — ele pergunta.

Minha respiração está cada vez mais alta, e cubro os ouvidos para não escutar. É aí que o teto começa a girar e o ar desaparece e meus pulmões param de funcionar e não consigo mais respirar. Derrubo tudo e saio correndo de perto do carrinho e de toda aquela comida até chegar à porta. Fico parada no estacionamento, com o corpo dobrado, inspirando o ar fresco da noite. Deito no chão, como se isso pudesse abrir meus pulmões e fazer com que voltassem a funcionar, mas o ar não vem. Então fecho os olhos. E tudo fica preto.

Foi assim que aconteceu há três anos. Meus pulmões pararam de funcionar, e o ar em todos os lugares, na minha casa, no mundo, desapareceu, me deixando incapaz de falar ou me mexer. Havia apenas o pânico.

Abro os olhos, e em vez do teto de metal do baú de um caminhão, vejo o céu.

Levante, Libby.

Me obrigo a sentar e espero que o mundo se recomponha. Olho em volta devagar, para que as coisas não virem de ponta-cabeça ou rodem. Dentro do mercado, vejo o garoto de dezesseis anos com um telefone no ouvido e alguém vindo ajudar a garota que está deitada no estacionamento.

Vamos, de pé.

Me obrigo a levantar e, no processo, uma sensação toma conta de mim. Fico calma e em paz, e é tudo por causa dela, minha mãe. Quero que o sentimento dure, que ela fique comigo.

Viva, viva, viva, viva...

E então respiro.

Respiro.

Em casa, fico em frente ao espelho com o biquíni roxo que comprei quando comecei a emagrecer. Nunca usei, então ainda está com a etiqueta, mas agora eu a arranco e deixo cair no tapete. Olho para mim.

George me observa através do espelho com a mesma expressão de sempre, e penso: *Se as pessoas fossem como ele...* Meu gato olha para mim do mesmo jeito quando estou completamente vestida, com ou sem maquiagem, sorrindo ou chorando. Ele é *inabalável*, e isso deve ser o que mais amo nele.

Ainda de biquíni, sento na cama e abro o laptop. Fico olhando para a tela por aproximadamente dez segundos, então as palavras começam a jorrar.

NO DIA SEGUINTE

LIBBY

É o primeiro dia de natação, o que significa que vou viver um dos meus maiores pesadelos: desfilar na frente dos meus colegas usando a menor e menos favorecedora peça de roupa do mundo.

Estou no vestiário com trinta garotas, e é exatamente assim que o pesadelo sempre começa. Todas que não são Caroline Lushamp ou Bailey Bishop ficam olhando para o próprio armário, como se isso as tornasse invisíveis. Até a Kendra Wu disfarça, sentada no banco, falando a mil por hora, como se fosse a garota mais confiante do mundo, mas mantém a toalha no colo. Ela a amarra em volta do corpo quando levanta, e eu conheço esse truque, porque já o usei centenas de vezes.

Quero gritar: *Estamos te vendo, Kendra! Você não pode se esconder das suas colegas! Mas quem se importa? Você é linda! Todas nós somos! Nosso corpo é maravilhoso e não deveríamos ter vergonha!*

Bailey fala comigo sobre um salva-vidas chamado Brandon Alguma Coisa, que foi sua primeira paixão real (não devendo ser confundido com sua primeira paixão de todas, o Christopher Robin do *Ursinho Pooh*). Ela se encosta no armário e fica mexendo as mãos, como sempre faz quando está falando e, é claro, parece ter saído das páginas de uma revista adolescente, mesmo no borrão sem forma que é o maiô da escola.

Sou de longe a garota mais pesada daqui, e todas ficam olhando, esperando eu tirar tudo, provavelmente porque vai fazer com que se sintam melhor com o próprio corpo. Eu me movimento em câmera lenta, determinada a ficar aqui até tocar o sinal. Tiro um sapato, depois o outro e os coloco — primeiro um, depois o outro — bem arrumadinhos e com muito cuidado dentro do armário, como se eles fossem feitos do mais fino vidro. Tiro a pulseira e tomo todo o cuidado do mundo ao guardar na mochila, onde estará a salvo. Dedico tanto tempo para garantir seu conforto que só falta escrever um poema para ela. Pego um prendedor de cabelo e então, como se tivéssemos horas para ficar prontas, faço um rabo bem arrumadinho, prendendo cada fio, como se fosse a capitã das Damsels.

Caroline passa por perto e diz na minha direção:

— Não se pode adiar o inevitável.

Mas nem a Rainha da Escola vai me apressar.

Por fim, ficamos só eu, a Bailey e uma garota chamada Margaret Harrison, que está falando no celular. Nossa professora, a srta. Reilly, entra com tudo e, sem nem olhar pra gente direito, diz:

— Margaret, desliga o celular! Bailey, piscina! Libby, maiô!

Ela seria um sargento incrível.

Bailey acena para mim.

— Vejo você lá fora, Libbs!

E sai quase saltitando, o cabelo esvoaçante, as pernas longas pisando firme. Não sei como gosto dela.

Agora somos só Margaret e eu. Ela continua falando sem parar, mas preciso muito que desapareça, então começo a cantar. Alto. Arrumo de novo os sapatos, confirmo que minha pulseira está a salvo. Margaret continua falando, mas agora olha para mim. Podemos ficar dias aqui.

Finalmente, decido: *Que se dane.* Tiro a camiseta. Penduro no armário. Tiro a calça. Penduro também. Fecho a porta do armário. Coloco a toalha sobre os ombros. Meus olhos encontram os da Margaret, arregalados. Ela ainda está com o celular na orelha, mas finalmente, finalmente, parou de falar. Coloco uma mão na cintura, a outra atrás da cabeça. Faço uma pose, e ela sorri.

— Sim, ainda estou aqui — ela diz no telefone, e faz sinal de positivo para mim.

*

Entro no centro aquático.

Todos param o que estão fazendo.

Simplesmente param.

Do outro lado da piscina, a srta. Reilly grita:

— O que é isso, Strout?

— Um biquíni roxo — grito de volta.

Então faço a mesma pose: uma mão no quadril, a outra atrás da cabeça.

A srta. Reilly vem andando na minha direção, os pés fazendo *slap, slap, slap* no cimento molhado.

— O que é isso na sua barriga?

E ela deve ser míope, porque escrevi em letras enormes.

— *Alguém gosta de mim* — digo. — Mas não se preocupe, não vai sair na água. Usei canetinha permanente.

Ando até o lado fundo da piscina, largo a toalha e dou um mergulho digno das Olimpíadas que impressionaria até mesmo o juiz mais indiferente.

Minha mãe aprendeu a nadar no ano em que completou quarenta anos, um antes de morrer. Nós duas fazíamos aula na piscina municipal perto do parque, e aprendemos juntas a flutuar, respirar, boiar de costas, nadar peito, mergulhar. Para mim, nadar é tão natural quanto andar ou dormir. Me sinto em casa na água. Minha mãe ficava mais nervosa e falava que era por causa da idade.

— Você precisa confiar no poder da água — eu dizia para ela. — Nossos corpos são projetados para boiar, não importa o que aconteça. A água vai te segurar.

Não tenho nadado muito desde então. Mas é impressionante como esse tipo de coisa fica com a gente. Conforme avanço pela água, esqueço onde estou. Somos eu e a água. E minha mãe, só que fora de alcance. Fecho os olhos e a vejo na raia ao lado.

Subo para respirar e abro os olhos, e estou de volta ao centro aquático da escola, cercada de garotas pasmas e rindo. Isso me abala por um segundo, mas só por um segundo. É minha missão de vida, aparentemente, dar lições sobre bondade a garotas pasmas e risonhas. Se alguém tivesse me falado quando eu tinha sete ou oito anos que ia ter que fazer isso, que nunca teria um descanso por mais que me sentisse bem comigo mesma, eu teria dito: *Obrigada, mas se não se importar, prefiro fazer outra coisa. O que mais você tem pra mim?*

Sei o que está pensando: *Se você odeia tanto isso, se é um fardo tão grande, emagreça, e seu problema estará resolvido.* Mas estou confortável assim. Talvez eu perca mais peso. Talvez não. Mas o que as pessoas têm a ver com isso? Quer dizer, desde que eu não sente em cima delas, quem se importa?

Encontro a escada e saio da piscina. Tiro o cabelo do rosto e olho para minha barriga. As palavras ainda estão lá.

Pego a toalha e passo por todas as garotas a caminho do vestiário, onde me seco e pego os sapatos que escolhi especialmente para hoje. De um lado, escrevi uma citação de *Uma ilha de paz*: ***Cada pessoa tem um momento na história que pertence especialmente a ela.***

Este é o meu.

JACK

Abro caminho pela multidão, fingindo falar ao telefone. Meu plano é evitar o corredor principal, mesmo que isso signifique subir a escada, dar a volta e descer de novo para chegar à próxima aula. A escada mais próxima fica no que chamamos de Quatro Cantos, que é onde o corredor principal se ramifica. Se eu for discreto o suficiente, posso subir por ela até o segundo andar, senão vou ter que andar mais um pouco para pegar a escada perto da entrada. Não quero encontrar ninguém.

Ouço meu nome, mas me concentro nas nucas à frente. O corredor está cheio de pessoas, que mal se movem. Alguém fica gritando meu nome sem parar, e então uma garota alta com a pele escura e uma pinta falsa perto do olho me puxa pelo braço e diz:

— Você não me ouviu?

— Caroline?

— Eu disse que sua namorada está ali. É por causa dela que não conseguimos passar.

LIBBY

Estou no meio do corredor principal. A única coisa que visto além dos sapatos é o biquíni. Ele e meu cabelo ainda estão molhados, e estou tremendo de frio, mas digo a mim mesma: *Este é o seu momento na história. Ele pertence a você.*

Cinco. Quatro. Três...

Iris aparece. Sem fôlego.

— Trouxe? — pergunto.

— Aqui. — Ela mostra uma pilha de papéis.

— Talvez você queira sair daqui.

Iris faz que não com a cabeça.

— Vou ficar.

O sinal toca e dou um pulo. Ainda tenho tempo. Se corresse como o Flash, talvez só fosse vista por algumas pessoas.

Mas fico bem ali.

Enquanto as portas se abrem. Enquanto o corpo estudantil do MVB começa a inundar o corredor. Enquanto todo mundo me olha. Enquanto celulares são apontados para mim. Enquanto — tenho certeza — quatrocentas fotos são tiradas. Enquanto sinto um aperto no peito. Enquanto minha cabeça parece cada vez mais cheia. Enquanto minha respiração fica curta e irregular. Enquanto minhas mãos ficam suadas.

Fico ali.

JACK

Tento abrir caminho, mas quanto mais me aproximo do corredor principal, maior o trânsito de pessoas, e logo estou preso na multidão, sendo arrastado por ela, pressionado entre a garota na minha frente, o cara atrás de mim, a garota à minha esquerda e o cara à minha direita. Caroline deve estar por perto, mas não a vejo mais.

LIBBY

Iris e eu entregamos folhetos, um para cada aluno, e nossas pilhas diminuem rápido. Eles se afastam lendo, enquanto outros apontam o celular para mim. Tento posar para o máximo de fotos possível, porque, já que vão colocar na internet, quero que seja a melhor versão de mim.

Seth Powell e seu moicano gigante aparecem na minha frente, e Jack Masselin está bem atrás. Seth pergunta:

— O que é isso? — Ele ri tanto que seu corpo chacoalha.

Jack não está rindo.

— O que você está fazendo?

— Estou lembrando todo mundo de algumas verdades.

Moses Hunt e sua gangue se aproximam, e entrego um folheto para o grupo, embora provavelmente não saibam ler.

— Espero que você aprenda alguma coisa, apesar de duvidar que seja possível — digo.

Ele se aproxima como se fosse me abraçar, e Jack grita:

— Ei!

—Vai se foder, seu babaca. Qual é o seu problema?

Seth responde:

— O problema é que ela é a namorada dele. — Ele ri/ chacoalha como um pandeiro.

Digo ao Jack:

— Muito obrigada, mas não preciso que você me proteja.

E ele responde:

— Você precisa se vestir.

Atrás da mesa, a diretora balança a cabeça em sinal de reprovação.

— Estou perdida, Libby. Me ajude a entender isso. — Ela segura uma cópia do que escrevi. Meu Tratado para o Mundo. — Alguém está te incomodando? Te mandando cartas? Por que não me contou?

— Porque não sei quem é e, mesmo que soubesse, não queria ser dedo-duro, por mais terríveis que as cartas fossem. Mas senti que precisava dizer alguma coisa.

Estou vestida agora, mas ainda tremo. Para começar, meu cabelo está molhado. Além disso, estou irritada. Com um único comentário, Jack Masselin roubou um pouco da minha glória: *Você precisa se vestir.*

A diretora lê meu tratado mais uma vez e então o larga. Ela cruza as mãos sobre ele e me encara. Vejo raiva em seus olhos, mas sei que não é direcionada a mim.

— Sinto muito — ela diz. — De verdade.

Meus olhos começam a arder, o que me pega de surpresa. Fico observando minhas mãos, tentando não chorar. *Tudo bem. Você arrasou. Provou o que queria. Talvez até tenha ajudado alguém hoje que precisava ouvir o que você tinha a dizer.*

— Terminamos aqui.

Levanto a cabeça.

— Sério?

— Mas que seja a última vez que você tenta resolver as coisas sozinha, e que seja a última vez que te vejo na minha sala. A não ser que receba mais cartas. Nesse caso, quero que venha imediatamente. E se descobrir quem está por trás disso, também quero saber.

Alguém gosta de você

por Libby Strout

"Ninguém gosta de você."

Alguém me escreveu isso recentemente numa carta anônima. Fico me perguntando quem acha que tem o direito de dizer isso a outra pessoa. Sério. Pense nisso.

"Ninguém gosta você."

Deve ser a coisa mais desprezível que se poderia dizer a alguém.

O que a pessoa provavelmente quer dizer é: "Você é gorda, e isso me enoja". Então por que não escrever precisamente isso?

Você não sabe se existe alguém que gosta de mim.

E adivinha só: existe, sim.

Acredite ou não, tenho uma família e amigos que me amam. Já beijei alguns garotos. Se nunca transei, é porque não estou pronta ainda. Não porque ninguém gosta de mim. A verdade é que, enquanto você é cheia de ódio e insignificante, Pessoa Que Escreveu Aquela Carta, eu sou encantadora. Tenho uma ótima personalidade, sou inteligente, sou forte e corro bem. Sou resiliente. Poderosa. Vou fazer alguma coisa da minha vida, porque acredito em mim mesma. Posso ainda não saber o que é essa coisa, mas só porque não existe limite para mim. Você pode dizer o mesmo?

A vida é muito curta para julgar. Não é sua função dizer aos outros o que sentem ou quem são. Por que não dedicar todo esse tempo a si mesma? Não sei quem você é, mas posso garantir que tem algumas questões que poderia trabalhar. Talvez você tenha um corpo bonito e um rosto perfeito, mas aposto que se sente insegura e não conseguiria ficar só de biquíni roxo na frente de toda a escola.

Quanto aos outros, lembrem-se: ALGUÉM GOSTA DE VOCÊ. Grande, pequeno, alto, baixo, bonito, comum, simpático, tímido. Não deixe ninguém dizer o contrário, nem você mesmo.

Principalmente você mesmo.

JACK

Estou no andar principal da Brinquedos Masselin, desejando que a temporada de beisebol durasse o ano inteiro, que eu não precisasse esperar até a primavera, e que todos fôssemos obrigados a jogar. Se eu tivesse projetado o mundo, todas as pessoas usariam uniforme, e seria por meio dele que nos encontraríamos.

Se o mundo funcionasse assim, eu reconheceria Monica Chapman, que também está no andar principal da loja. Eu saberia instantaneamente que a mulher com quem meu pai está conversando é ela. Não teria que me perguntar se já veio aqui outras vezes, se passou bem diante dos meus olhos.

Interrompo os dois, que estão muito próximos, ao lado de um expositor do *Star Wars*, onde qualquer um, incluindo minha mãe, poderia ver. Eles se distanciam, então olho para o crachá do meu pai e identifico a culpa em seu rosto.

— Oi, Jack — ela diz.

Talvez seja ela, talvez não, mas não espero para descobrir. Olho para meu pai e digo:

— Seu filho da puta.

E saio.

Em casa, jogo no chão tudo o que estava nas prateleiras do porão. Despejo um monte de coisas no lixo. Faço barulho, como uma criança birrenta, pisando em cima das coisas, batendo outras na mesa de madeira, quebrando ferramentas e todas essas coisas que passei tanto tempo projetando e construindo.

Fico cada vez mais agitado, até finalmente socar uma parede e minha mão sangrar. A dor traz uma sensação boa. Dou mais um soco e mais um. É uma maneira de sentir alguma coisa, em vez de ficar atrás dessa cerca elétrica invisível que me separa das outras pessoas.

Meia hora depois, estou arrumando a bagunça, recomposto, quando um homem com o crachá do meu pai entra.

Ele olha para o caos em volta e depois nos meus olhos.

— Vou terminar tudo com ela.

— Não é da minha conta.

— Só queria te contar.

— Por que agora? O que te fez tomar essa decisão tão importante?

— Isso — ele responde, apontando para mim. — Essa raiva. Não quero que me odeie.

— Não jogue a responsabilidade pra cima de mim.

— A responsabilidade não é sua, é minha. Recebi uma segunda chance, não só ao vencer o câncer, mas com a sua mãe, e uma segunda chance de entender o que quero fazer da vida.

— Achei que você amasse a loja.

— Eu amo o que ela significa, amo sua história. Adorava ir lá quando era criança. Mas isso não significa que era o que eu queria pra mim. Eu tinha planos.

Isso mexe comigo, porque é a primeira vez que penso no meu pai fazendo qualquer outra coisa ou tendo opções.

— Eu queria ser arquiteto. Ou engenheiro.

E isso mexe comigo de novo, porque talvez sejamos mais parecidos do que eu pensava, e não sei como me sinto quanto a isso. *A única coisa que sei, graças a você e à Monica Chapman, é o tipo de pessoa que não quero ser.*

— É engraçado, não é? Apesar de estarmos basicamente sozinhos aqui dentro — ele bate no peito —, é muito fácil esquecer quem somos.

Minha vontade é dizer: *Eu sei. Entendo. É fácil dar às pessoas o que elas querem. O que é esperado. O problema é que perdemos de vista onde nós começamos e onde nosso falso eu, o que tenta ser tudo para todo mundo, termina.*

Ele dá um sorriso triste.

— Tenho sido um merda.

— Então você caiu no papo do Dusty também.

— Acho que sim.

Marcus e a namorada, Melinda, estão na sala, debruçados sobre o celular dele, sussurrando. Meu irmão levanta a cabeça e me pergunta:

— Você viu isso?

Ele estende o celular na minha direção.

Chego perto, pego o celular, e ali está Libby Strout, de biquíni roxo, basicamente mandando o mundo se danar. Eu estava lá. Vi tudo. Mas agora noto o modo como seu cabelo brilha e o punhado de sardas lindas que pontilha seus braços e seu peito.

Então cometo o equívoco de ler os comentários. Alguns são horríveis. Outros são muito legais. Não conto quantos são, mas fico aliviado ao ver que os legais parecem superar os horríveis. Devolvo o celular ao meu irmão, e ele mal percebe, porque começa a discutir com a Melinda.

Ela diz:

— Estou falando sério, não é engraçado, Cuss. — É assim que ela o chama. — Tenho pena dessa garota.

— Por que você tem pena dela? — pergunto.

Melinda fica me encarando com seu olhar idiota.

— Não deve ser fácil ser ela.

— Por quê?

Eu não deveria provocar a garota, mas não consigo me segurar.

— Bom. Tipo. Você sabe. — Melinda pega o celular e aponta para a tela.

— Acho que ela parece estar se saindo muito bem.

O folheto da Libby está em cima da minha escrivaninha. Desde que o li, estou tentando ignorar a voz que diz: *A culpa é sua. Se não tivesse agarrado a Libby, ela não seria um alvo, e não teria achado que precisa se provar para a escola inteira.*

LIBBY

O Martin Van Buren na verdade é muito bonito, o que é estranho quando paramos para pensar em quantas pessoas nos últimos noventa e tantos anos passaram a maior parte de seu tempo odiando estar aqui. Temos uma galeria de arte de verdade, cabem dez mil pessoas no ginásio e os shows da cidade acontecem no nosso auditório. O refeitório tem uma ilha de salada, uma de pizza e uma de sanduíches, e tem até uma lojinha de conveniência perto da enfermaria. Mas poderia muito bem ser a prisão da Ilha Petak, no meio de um lago na área mais remota da Rússia, onde os internos passam vinte e duas horas por dia nas celas e recebem visitas duas vezes ao ano.

O dia de hoje não é exceção. Todo mundo — e quero dizer *todo mundo* mesmo — sabe meu nome agora e já me viu de biquíni. Até as pessoas que nem estavam aqui. O nome do vídeo que está rolando no YouTube é "A gorda contra-ataca: Libby Strout, ex-Adolescente Mais Gorda dos Estados Unidos, diz aos colegas 'Alguém gosta de você'". Foi postado ontem à noite e já tem 262 356 visualizações.

Imagine.

Posso dizer por experiência própria que é muito estranho e perturbador. Aquele cara ali, com o caderno do *Game of Thrones*. Aquela garota e os amigos dela, com os instrumentos musicais. As líderes de torcida. O time de basquete. E, claro, os professores.

Não pensei nisso direito.

Pode ser minha imaginação, mas todos os olhos estão fixos em mim quando atravesso os corredores. Ando e respiro, ando e respiro. Endireito a postura. Tento mostrar mais atitude. Lembro a sensação de dançar no meu quarto ao som das Spice Girls, e digo a mim mesma: *Essa é quem você é. Uma estrela, como na música.*

Uma pessoa muge. O resto só fica me olhando.

No corredor, o sr. Levine pergunta:

— Está tudo bem, Libby?

O que quer dizer que, tendo visto o vídeo ou não, ele sabe sobre o vídeo.

— Só porque já nos encontramos na Roda de Conversa não significa que você não pode vir falar comigo se precisar. É meio que o meu trabalho, sabe?

— Eu sei. Obrigada, sr. Levine. Está tudo ótimo. De verdade.

Não tenho certeza se ele acredita, mas vou embora rápido antes que possa me perguntar mais alguma coisa.

Almoço na sala de artes com a Bailey, a Jayvee e a Iris, porque no momento aqui está mais tranquilo (ou seja, menos traumático) do que no refeitório. Elas começam a falar, como sempre fazem, sobre o que vão fazer depois da escola, quando estivermos livres. Bailey quer ser artista e médica, e Jayvee pretende escrever.

Então Iris olha pra mim e diz:

— Eu queria ser como elas. Queria saber o que vou fazer da vida.

— Você pode ser cantora. Se eu tivesse uma voz como a sua, Iris Engelbrecht, cantaria o dia inteiro só para ficar me ouvindo.

Suas orelhas ficam cor-de-rosa. Ela toma um gole da coca zero.

— Cantar não é carreira, é um hobby.

Ela está repetindo as palavras de alguém, talvez da mãe.

— Diga isso pra Taylor Swift. — Pego o celular, escolho uma música e coloco para tocar. Todas ficam quietas, e eu começo a dançar. — Eu vou ser dançarina.

Levanto a perna, que sobe até o céu.

Jayvee começa a bater palma e assobiar.

—Vou começar meu próprio grupo. Aceito todo mundo que não puder ou não quiser entrar para as Damsels. Nada de formação ou bandeiras. Vamos só sair por aí fazendo o que quiser, juntas.

— Quero entrar para o grupo! — Bailey diz, então levanta e começa a requebrar, o cabelo esvoaçando.

— Eu também — diz Jayvee, que sobe em uma mesa, balançando as mãos e levantando os braços. Ela pega a aba de um chapéu imaginário e abre um sorriso.

Iris larga a latinha de coca zero e limpa a boca com o guardanapo. Começa a cantar junto com a música, abafando a voz das Spice Girls com aquele vozeirão maravilhoso. Remexe um pouco o corpo ainda sentada, ombros para a esquerda, ombros para a direita. Pego um pincel e dou para ela. Agora não é mais um pincel, é um microfone, e não estamos na sala de artes da escola, estamos no palco, todas nós, juntas, cada uma fazendo o que quer.

Então o sr. Grazer, professor de arte, entra e grita:

— O que está acontecendo aqui?

Bailey responde:

— Só estamos nos expressando artisticamente, sr. Grazer.

— Bom, se expressem um pouco mais baixo, Bailey.

JACK

As cadeiras estão organizadas em círculo no meio da quadra de basquete. Parece que na Roda de Conversa de hoje — a última — vamos finalmente fazer uma roda.

Quase viro e saio, mas é o último encontro, finalmente, então me obrigo a sentar em uma das cadeiras, cumprimento o grupo e espero o sr. Levine. Estico as pernas, cruzo os tornozelos, jogo a cabeça para trás e fecho os olhos. Todos vão pensar que estou de ressaca ou cansado ou completamente entediado, mas na verdade meu coração está batendo um pouco rápido demais, um pouco alto demais.

O que quer que seja este círculo, não pode ser coisa boa.

Ouço todos se instalarem, as vozes subindo e descendo. Libby diz alguma coisa enquanto senta, e então ouço um barulho de tênis se arrastando pelo chão, e é o sr. Levine.

Ele diz:

— Vocês devem estar se perguntando por que estamos sentados em círculo.

Abro os olhos, me ajeito na cadeira, tento parecer interessado e nem um pouco assustado com isso. Olho para Libby. Quero dizer: *Sinto muito. Estou com saudades.* Mas ela está olhando para o sr. Levine, que tem uma bola de basquete nas mãos.

— Hoje vamos nos revezar dizendo cinco coisas positivas sobre cada pessoa aqui. Eu começo. Vou dizer cinco coisas boas sobre, vamos ver, a Maddy. — Ele joga a bola para ela. — Você é gentil, pontual, educada, se dá bem com os outros e está muito mais confiante do que quando começamos o trabalho. Agora diga cinco coisas boas sobre mim.

Ela faz isso:

— Você usa umas gravatas-borboleta maneiras, parece o Doctor Who, é bem tranquilo para um professor, não dá muita bronca e passa atividades interessantes pra gente.

Ela joga a bola de volta para o sr. Levine.

— Excelente, Maddy, e obrigado. Então, na sequência, eu jogo a bola para o Jack, o Andy, a Natasha, o Travis, a Libby ou o Keshawn, até ter falado sobre todos. Passamos a bola até todo mundo ter falado sobre todo mundo. Perguntas?

— Tipo, qualquer coisa, desde que seja positiva? — Keshawn diz.

— Qualquer coisa para maiores de treze anos.

Todos riem, menos Keshawn, que parece decepcionado.

Então agora estamos todos olhando uns para os outros, nos estudando, sem dúvida tentando pensar em cinco coisas legais para dizer. Faço o mesmo, mas de um jeito diferente. Depois de todo esse tempo, posso apontar o Keshawn neste grupo, e a Natasha deve ser a garota de cabelo castanho comprido com a mão na perna dele — pelo menos é o que espero, pelo bem do Keshawn. Sei quem é a Libby, porque ela é a maior, e sei quem é a Maddy graças ao sr. Levine. Mas sempre tenho problemas com o Andy e o Travis. Eles têm a mesma altura, o mesmo tipo de corpo, e usam o cabelo bagunçado caindo no olho. Consigo reconhecer algumas pessoas pelo jeito delas, pelo modo como tiram o cabelo do rosto, por exemplo, mas esses caras nem isso fazem.

Digo a mim mesmo que vou ficar bem desde que o Levine escolha outra pessoa para começar. Então começo a pensar no que dizer sobre cada um. Keshawn e Natasha foram encontrados se pegando em um dos banheiros, o que é de longe o melhor motivo que qualquer um de nós teria para estar aqui, mas não posso mencionar isso como uma das coisas positivas. Maddy veio por ter roubado maquiagem dos armários. Andy vandalizou propriedade escolar (fazendo xixi nela). E o Travis acendeu um baseado *durante a aula* só porque o desafiaram a fazer isso. É o que sei sobre cada um. A única pessoa de quem consigo pensar coisas boas para dizer é a Libby. E tenho uma centena delas, não apenas cinco.

Levine diz:

— Jack, por que você não começa?

Merda.

Dou um sorriso.

— Primeiro as damas.

— Tenho certeza de que elas agradecem, mas não vão se importar neste caso.

Ele encosta na cadeira, cruza os braços e espera.

Por algum motivo, olho diretamente para Libby. *Não me abandone, não quando eu mais preciso de você.* Ela franze a testa, e por um minuto acho que vai me mostrar o dedo do meio, ou talvez só levantar e ir embora. Mas deve ter percebido que estou em pânico, porque aí diz:

— Desculpe, sr. Levine, mas antes que eu esqueça, Travis, amanhã vai ter prova de educação no trânsito?

Ela está olhando para o cara à sua frente, o de camiseta preta de manga comprida.

— O quê? Vai? Que merda!

Ele fica olhando para ela por detrás daquele cabelo, a boca aberta em um O, e de repente tenho vontade de rir.

— Achei que o sr. Dominguez tinha falado isso... Será que foi outra pessoa? Deve ter sido o professor de história, pensando bem.

O sr. Levine fica olhando para ela como se soubesse que está tramando alguma coisa, mas tudo o que diz é:

— Vamos, Jack.

Keshawn joga basquete bem. Natasha é positiva e está sempre sorrindo. Maddy parece muito inteligente. Andy ajudou o time da escola a se classificar para o campeonato estadual de futebol americano no ano passado. Travis tem várias camisetas iradas. Esse tipo de coisa.

O que dizem sobre mim é: o Jack é bonito. O Jack é um cara centrado. O Jack tem um carro legal. O Jack mora em uma casa linda. O Jack tem um ótimo sorriso. O Jack tem um cabelo incrível. O Jack é inteligente. O Jack é engraçado. O Jack joga beisebol bem. O Jack provavelmente vai entrar em qualquer universidade que quiser.

Sei que a intenção é boa, mas fico me sentindo meio vazio. Talvez eles também se sintam assim, mas minha vontade é dizer *Vocês não me conhecem. Se isso é tudo que acham que eu sou, não têm nem ideia.*

Mas quem é o culpado disso?

Viro para a Libby.

— Você é gentil. Provavelmente a pessoa mais gentil que conheço. Sabe perdoar, pelo menos um pouco, mas espero que bastante, e pra mim isso é tipo um superpoder. — Ela está olhando nos meus olhos, e tem muita coisa rolando ali. — É muito inteligente, e não aceita as merdas dos outros, muito menos as minhas. Você sabe quem é e não tem medo disso. Quantos de nós podem dizer isso? — Ela não está sorrindo, mas o importante são seus olhos. — Você é forte. E não estou falando só porque consegue nocautear um cara com um soco. — Todos riem, menos ela. — Está mais para uma força interior. Tipo, se eu pudesse desenhar, talvez essa força parecesse um triângulo de carbino, que é a estrutura mais forte do mundo e o material mais resistente possível. Você também faz com que as coisas sejam melhores para as pessoas que estão à sua volta...

Quase continuo, mas o sr. Levine interrompe:

— Na verdade você já passou de cinco. Queria que pudesse continuar, mas todos precisam falar hoje. Muito bem, Jack. Foi um ótimo começo.

Libby ainda está olhando para mim, e seus olhos estão bem abertos.

Então temos um *momento*.

É quase como se eu a visse. Não só os olhos cor de âmbar ou as sardas em seu rosto. É como se eu a visse de verdade.

— Jack? É a vez da Libby.

Esfrego a nuca, porque meu cabelo está pinicando.

— Sim. Claro.

Jogo a bola para ela.

Libby fica olhando para a bola por um instante, girando nas mãos, delicadamente, com cuidado, como se estivesse segurando o mundo inteiro. Então ela olha para mim, e é difícil ler aquele olhar. Ela abre a boca. Fecha. Abre de novo. Não tem cinco coisas para dizer sobre mim. Só tem uma.

— Na verdade, você não é um merda, Jack Masselin. Mas não sei se sabe disso.

LIBBY

Saio do ginásio o mais rápido que posso sem chegar a correr. Mas o Jack me acompanha, o cabelo voando como se tivesse um ventilador cenográfico ali.

— Obrigado pelo que você disse lá dentro.

— Não foi nada.

— Pra mim foi. Você é minha heroína depois do que fez ontem.

— Você mandou eu me vestir.

— Porque o Moses Hunt estava chegando perto demais de você, e não sei o que ele ia fazer. Não quero ninguém te agarrando.

— Que ironia. — Então, por algum motivo, não consigo me segurar e digo: — Aparentemente eu viralizei.

— Eu sei, eu vi. Olha só, alguma garota vai ver aquele vídeo e criar coragem para comprar seu próprio biquíni roxo. Você vai fazer a diferença. Espera só. Garotas em todos os lugares, de todos os tamanhos, vão querer um. Fabricantes de roupas ao redor do mundo vão fazer hora extra para produzir biquínis roxos suficientes para suprir a demanda. As garotas vão parar de perguntar: *Essa calça deixa minha bunda grande?*, porque não vão nem ligar. Vão usar o que quiserem e mandar ver.

Ele sorri, e alguma coisa ali me faz querer sorrir também, mas não faço isso, porque aquele garoto partiu meu coração.

Então o Jack diz:

— Pode não parecer, mas você está sorrindo.

JACK

Não consigo esperar o Natal chegar, então levo o robô do Dusty até seu quarto e bato na porta. Ele grita:

— Pode entrar.

Abro a porta, mas fico ali, porque ele ainda não está falando comigo direito. Coloco o robô no chão. Seu nome é Chutamerda, e ele é um super-herói.

— Olá, Dusty — o robô diz enquanto entra. — Estou lutando contra os merdas que tem por aí. O Chutamerda está aqui para chutar sua bunda.

— *Minha bunda?* — Dusty pergunta, e começa a rir.

É o melhor som do mundo. Enfio a cabeça para dentro do quarto, e ele está rolando na cama, então levanta e começa a analisar o robô por todos os ângulos.

Meu irmão me vê e franze a testa. Aperto um botão e o Chutamerda diz:

— Somos eu e você contra o mundo, Dusty.

Ele fica olhando para o robô e balança a cabeça.

— É como se o robô me reconhecesse. Como você fez isso?

A verdade é que o Chutamerda não consegue reconhecer meu irmão, assim como eu não consigo, mas o programei para que esse seja o único nome que sabe. Para o robô, todo mundo é o Dusty.

— Mágica — respondo. — Para que o Chutamerda sempre possa te encontrar.

Aperto um botão no controle remoto e ele diz:

— Não seja um merda!

Aperto outro botão e o robô começa a chutar, mas na verdade está dançando. Uma música do Jackson 5 sai do alto-falante no peito dele, e o Dusty começa a dançar junto.

Entrego o controle remoto para meu irmão e começo a dançar também. Alguns minutos depois, ele pergunta:

— O Chutamerda está carregando uma *bolsa*?!

É claro que sim, porque o robô sabe que só os garotos mais legais usam bolsa. Dusty comemora, e agora nós três estamos dançando em sincronia, e eu e o Dusty mandamos ver, mas não há dúvida — o Chutamerda é que é o cara.

As duas coisas da Libby que mais me fazem falta
por Jack Masselin

1. Como me sinto quando estou com ela. Como se tivesse engolido o sol e ele escapasse por cada poro.
2. Tudo.

QUATRO DIAS DEPOIS

JACK

Fiquei de ir à casa do Kam por volta das nove. Caroline vai estar lá. Todo mundo vai estar lá. Não quero ver todo mundo — não quero ver ninguém, na verdade —, mas é assim que tem que ser. Sou Jack Masselin, afinal. Tenho uma reputação a zelar.

Tomo banho, visto uma roupa, sacudo o cabelo. Pego a chave do carro e estou quase saindo quando meu pai (sobrancelhas grossas, pele clara, camisa da Brinquedos Masselin) vem atrás de mim.

— Ei, Jack, podemos conversar um minuto?

Penso em várias desculpas — tenho um compromisso e já estou atrasado (verdade), acho que o carro está pegando fogo (espero que não seja verdade), não quero falar com você (verdade, verdade, verdade).

— Claro, o que foi? Mas tem que ser rápido. Não é bom deixar as garotas esperando.

Quase completo com *Como você sabe.*

— É um assunto sério, filho — ele diz.

Marcus, Dusty e eu estamos no sofá um ao lado do outro. Minha mãe está na poltrona à nossa frente. Ela inclina o tronco e mantém as mãos nos joelhos, como se fosse levantar a qualquer momento.

Meu pai limpa a garganta.

— Sua mãe e eu nos amamos muito. E amamos vocês. Os três são tudo para nós, e nunca faríamos nada para magoar vocês.

Ele segue nesse tom por um tempo, falando sobre o quanto nos ama e como tem sorte de ter uma família ótima e presente, que todos o apoiamos quando estava doente, e como nunca conseguiria expressar o quanto isso significa para ele.

Enquanto isso, Marcus, Dusty e eu olhamos para a mamãe, porque é ela quem fala as coisas sem rodeios. Mas agora não diz nada. Nem olha para nós. Fica encarando um ponto além do papai, que ainda está falando.

Finalmente, Dusty levanta a mão e pergunta:

— Vocês vão se separar?

A cara do meu pai se fecha, e não consigo olhar. Ninguém diz nada. Finalmente, com uma voz bem calma, minha mãe diz:

— Seu pai e eu achamos melhor nos afastarmos por um tempo. Precisamos resolver algumas coisas, que não têm nada a ver com vocês.

A conversa não termina aí. Dusty tem perguntas, e Marcus quer saber o que isso significa para a gente, tipo, onde vamos morar e se ainda vamos poder ir para a faculdade.

Enquanto isso, fico do lado de fora — sempre do lado de fora, mesmo quando o mundo desmorona à minha volta —, com o rosto encostado no vidro que nos separa, olhando lá para dentro.

LIBBY

Vamos buscar a Iris, e a Jayvee está dirigindo porque é a única que tem habilitação. Bailey, ao meu lado no banco de trás, diz:

— Dave Kaminski está dando uma festa. Prometi dar uma passada.

Jayvee me olha pelo retrovisor.

— Libbs? Você é quem sabe.

— O Jack não vai estar lá — Bailey garante.

— Como você sabe? — pergunto.

— Ele não é muito de festas.

Paramos na frente da casa da Iris, que não está na porta. Jayvee manda uma mensagem, e ficamos esperando um pouco, mas ela não aparece.

— Já volto — Jayvee fala baixinho, então desce e vai até a entrada, deixando o motor ligado.

— Libbs? — Bailey fica olhando para mim, as sobrancelhas levantadas, a boca em um meio sorriso, olhos bem abertos e brilhando.

— Tudo bem, vamos.

Afinal, por que não? O que eu tenho a perder?

Então, exatamente porque não tenho nada a perder, pergunto:

— Por que você não me defendeu? No quinto ano. Quando Moses Hunt me proibiu de ficar no parquinho. Por que não fez alguma coisa, ou pelo menos foi falar comigo? Eu ficava ali todos os dias, morrendo de medo de pisar no lugar, e você não veio nenhuma vez.

Digo isso com naturalidade. Não estou emotiva nem chateada. Só quero saber. De início, não sei se ela está ouvindo. Mas então suas sobrancelhas relaxam, o meio sorriso desaparece e Bailey parece confusa.

— Não sei, Libbs. Acho que repeti para mim mesma que éramos amigas, mas não tão próximas assim, e que você parecia estar bem. Ainda é assim. Você recebe cartas de pessoas horríveis e não dá bola. Jack diz que não pode mais sair com você, e tudo bem.

— Mas na época era muito importante, óbvio, e ninguém fez nada.

— Eu me sentia péssima por isso, até que um dia você sumiu. E não voltou mais.

— É por isso que você é tão legal comigo agora?

— É por isso que fui cumprimentar você no primeiro dia de aula. Mas sou legal porque gosto de você. Sinto muito, muito, muito por não ter sido uma boa amiga naquela época.

O que não muda nada, mas é o suficiente.

— Eu poderia ter sido uma amiga melhor também. Poderia ter falado com você. Poderia ter dito como estava me sentindo.

Então ela me abraça, e um pouco de seu cabelo entra na minha boca. Tem gosto de arco-íris e pêssego, exatamente o gosto que você imagina que o cabelo da Bailey Bishop teria.

Quando entramos na casa do Dave Kaminski, a primeira pessoa que vejo é o Mick de Copenhague. Ele está na sala, dançando em uma roda de garotas, e seu cabelo preto brilha. Ao meu lado, Jayvee diz com a voz meio rouca:

— Oi, Mick de Copenhague… — E finge desmaiar nos braços da Iris.

Sigo a Bailey pela multidão, e a casa do Dave Kaminski parece mais uma república que qualquer outra coisa. Tem tanta gente que mal conseguimos nos mexer. A música está alta e as pessoas tentam dançar, mas na verdade só dá pra ficar pulando no mesmo lugar.

Minha primeira festa no ensino médio.

A música é boa, então começo a remexer um pouco os quadris ao andar e bato acidentalmente em um cara.

— Cuidado! — ele grita.

Digo aos meus quadris que fiquem quietos e se comportem, e finalmente chegamos à sala de jantar, onde Dave Kaminski joga pôquer com um grupo de amigos. Bailey vai até ele e diz alguma coisa em seu ouvido, e de repente o garoto a puxa para seu colo, e ela ri e bate nele de brincadeira, então o abraça e depois volta para a gente.

— Dave ficou feliz que a gente veio.

— É o que parece — digo.

Então o Dave Kaminski olha nos meus olhos e me cumprimenta com a cabeça, e algo nesse gesto quase parece um pedido de desculpas.

JACK

A Caroline (pele escura, cheiro de canela, pinta perto do olho) e eu estamos no quarto da irmã do Kam. Cada centímetro da parede está coberto de pôsteres da Boy Parade, então é como sentar no meio de uma arena cheia de caras de vinte anos. Eles estão por toda a parte, com os olhos colados na gente. Dão sorrisos artificialmente brancos que brilham no escuro.

A Caroline acha que eu a trouxe aqui para ficar com ela. O que eu quero é ver se consigo trazer a Caroline legal à tona para ter uma conversa de verdade com ela. Sinto falta da Libby. Queria poder conversar com alguém como podia conversar com ela.

Depois de todo o tempo juntos, a Caroline e eu tínhamos toda uma rotina. Eu tentava tirar sua roupa, mas ela o fazia sozinha, para que eu não estragasse seu cabelo. Chegávamos perto de transar, mas nunca íamos até o fim, e eu a abraçava por um tempo e ficava ali me perguntando: *Quando? Quando? Quando?*

Meu coração não costumava participar, só meu corpo, e minha cabeça cooperava ficando em silêncio. Mas hoje estou no controle. Como o sr. Levine, minha cabeça quer saber por quê. *Por que você está fazendo isso? Por que está aqui com essa garota? Por que sempre acaba ficando com ela? Por que você não para, Jack? Por que não vive sua vida sendo você mesmo?*

E é por isso que digo:

— Qual é a melhor coisa que já aconteceu com você?

A Caroline fica me olhando.

— Imagino que espere que eu diga "você".

— Não se for mentira. Anda, quero saber. Em toda a sua vida, qual foi a melhor coisa que já te aconteceu?

— Não sei, talvez a Chloe.

É a irmã mais nova dela.

— E qual foi a pior coisa que já aconteceu?

— Meu gato ter sido atropelado.

A pior coisa que já aconteceu comigo foi ter estragado tudo com a Libby Strout, mas eu digo:

— Deve ter acontecido mais alguma coisa.

— Por quê?

— Porque você era diferente. Tímida. Quieta. Esquisitinha.

— Meu Deus, não me lembre disso.

— Tá bom. Diga uma coisa que as pessoas não sabem sobre você.

Ela fica olhando para a cama.

— Odeio marrom. Não gosto de tartarugas. Meu dente do siso nasceu quando eu tinha catorze anos.

Sem graça, sem graça e sem graça. Quase digo: *Eu tenho uma falha neurológica no cérebro que me impede de reconhecer rostos. Bum! Muahahahahahahaha.*

Mas em vez disso faço outra pergunta, e outra, e o tempo todo ela responde com uma voz monótona e fica cutucando o edredom na cama. Mal ouço suas respostas. Só fico pensando: *Todo esse tempo, eu achei que você fosse um porto seguro, mas não tem nenhuma segurança aqui. Como poderia, se a Caroline não consegue me ver e vice-versa? É como se eu estivesse sozinho.* E estou sozinho.

De repente ela tira a blusa e joga no chão. Ajeita o sutiã e deita, tentando me seduzir. Morde o lábio inferior, o que também é parte da rotina. Há alguns anos, isso realmente mexia comigo.

Estou prestes a dizer alguma coisa do tipo: *Por favor, ponha a blusa de volta* quando uma mudança acontece, bem diante dos meus olhos. Caroline fica mais pálida e maior até não ser mais ela sentada ali. É a Libby Strout, se apoiando em um braço, puxando a alça do biquíni roxo. Ela está falando e me contando coisas e rindo e fazendo perguntas, e eu estou falando também, e então ela senta e se aproxima, e nós ficamos conversando até que ela diz:

— Ei! — e estala os dedos na minha cara.

E é a Caroline de novo.

Fico olhando para ela, esperando que volte a se transformar na Libby.

— Qual é o seu problema? — Caroline pergunta. — Por que está tão estranho?

Ela está usando um sutiã sexy em seu corpo sexy. Não tem nenhum cara do MVB, mesmo os que têm medo dela, que não gostaria de estar no meu lugar. Coloco a mão na sua perna, que é macia como cetim, e tudo em que consigo pensar é:

Não amo a Caroline. Nem gosto dela.

Eu me obrigo a pensar em coisas que gosto nesta garota de agora, a única que está aqui.

Ela é cheirosa. Seus dentes são bem... retinhos. Seus olhos são normais. Sua boca é bonita.

Eu acho. Mas o que ela diz? Só merda. A Libby tem coisas interessantes a dizer, nada cruéis ou egoístas.

Pergunto ao meu cérebro: *Por que você está fazendo isso? Por que não para de pensar na Libby? Por que está me ferrando?*

Enquanto estou sentado ali tendo essa conversa profunda com ele, a Caroline diz:

— Acho que estou pronta.

— Pra quê?

— Aquilo.

Tento olhar nos olhos dela, mas o quarto está escuro a não ser pela luz que entra por debaixo da porta e a que vem do celular dela, acendendo a cada minuto com todas as mensagens que chegam.

— *Aquilo.* Sexo, Jack. Estou pronta para transar. Com você. — E aí vem aquela atitude: — *A não ser que não queira.*

Quero isso desde que nasci, mas inexplicavelmente me ouço dizer:

— Por que agora?

— O quê?

— Por que de repente você está pronta? Depois de todo esse tempo? O que mudou?

Aparentemente minha boca tem vida própria e NÃO PARA DE FALAR. Minhas partes masculinas estão gritando: PARE DE FALAR, SEU IDIOTA! CALA A BOCA! Mas minha boca não está ouvindo. Por que não?

—Você quer mesmo falar sobre isso?

—Tem certeza de que esse é o lugar onde você quer que sua primeira vez aconteça? Quer dizer, olha em volta. —Aponto para as paredes cheias de pôsteres. Pego um bicho de pelúcia que está nas minhas costas e chacoalho na cara dela. — Não quer transar na frente desse carinha, quer?

—Você está falando sério?

Ela me empurra com tanta força que eu caio da cama com tudo.

LIBBY

O Mick de Copenhague e eu estamos dançando, seu cabelo brilha preto-azul, preto-azul, e seu sorriso brilha branco, branco, branco. Inventamos os movimentos na hora — na verdade, eu invento e ele tenta me acompanhar.

— Redemoinho! — Finjo estar passando por um vendaval. — Agora, Sapatos em Chamas! — Fico pulando como se meus pés estivessem pegando fogo e eu não quisesse pisar no chão.

Quando uma música lenta começa, o Mick de Copenhague estende a mão, e eu a pego. Dançar com ele é diferente de dançar com o Jack. Para começar, o cara tem uns quatro metros de altura, então meu rosto fica pressionado contra seu peito. Além disso, ele só vai para um lado e para o outro e arrasta os pés.

Para de pensar no Jack Masselin. O Jack, que não te quer, pelo menos não o suficiente. Se concentre no Mick de Copenhague, com dentes brilhantes e mãos gigantes.

Então o Mick diz:

—Vem comigo.

E eu vou com ele. Enquanto a Bailey fica olhando, de boca aberta, subo as escadas atrás dele até o que deve ser o quarto do Dave Kaminski. Mick acende a luminária da escrivaninha e senta na cama. Fico na porta olhando para ele, que sorri. Eu sorrio também, então o Mick diz, alto o suficiente para que eu possa ouvir de onde estou:

— Eu estava pensando se posso te beijar. Quero fazer isso desde a primeira vez que te vi.

E, embora ele não seja o Jack, ou talvez justamente por isso, atravesso o quarto e sento ao lado dele, e de repente estamos nos beijando.

Meu pescoço está meio torto, mas não quero me mexer porque é o Mick de Copenhague. Começo a sentir cãibra, então viro só um pouquinho, e agora a cãibra passa para a panturrilha. É a pior dor da minha vida, mas tem um cara lindo me beijando, então aguento.

Apesar de meu corpo inteiro estar se contorcendo e eu estar sofrendo, ele beija bem. Acho que praticou bastante, porque parece que está se exibindo um pouco, fazendo umas danças circulares com a língua. É quase um artista de circo, mas não entenda errado, não tem nada de ruim nisso. Deve ser assim que se beija em Copenhague. Mick deve fazer isso desde que tinha dois anos.

Então o beijo acaba e nos afastamos. Sinto uma necessidade estranha de aplaudir, porque parece que ele está esperando isso.

— Uau!

— É. — Respiro. — Uau.

O que mais eu poderia dizer? *Da próxima vez, não se esforce tanto.* Ou: *Desculpe, estou com cãibra.*

—Você já foi para a Escandinávia?

— Não.

Nunca fui a lugar nenhum além de Ohio. Então me pergunto se ele sabe que passei parte da vida trancada dentro de casa.

— Devia ir um dia.

Mas o que eu ouço é: *Eu poderia te levar pra lá. Você veria onde nasci e conheceria minha família. Vou te amar pra sempre.*

E, apesar de não querer conhecer a família dele nem desejar que ele me ame pra sempre, eu o beijo de novo. Porque, enquanto estamos nos beijando, não existe a Adolescente Mais Gorda dos Estados Unidos, pelo menos não esta noite. Nada de guindastes ou hospitais. Nada de mãe morta. Nada de Moses Hunt. E, o mais importante, nada de Jack Masselin. Sou só eu. E esse garoto. E um beijo.

JACK

Nunca vi Caroline chorar antes, então por um minuto só fico sentado ali, como um idiota, tentando descobrir o que fazer. Ela soluça e ofega, como se estivesse tentando recuperar o fôlego. Começo a fazer carinho na Caroline como se fosse um cachorro, então ela me afasta.

— Por que você não me quer? — Ela parece pequena, como se estivesse dobrada na metade e na metade da metade. — Qual é o problema comigo?

Agora pareço ainda mais idiota, porque esse é um lado da Caroline que eu nem sabia que existia. *É possível que ela seja tão insegura quanto o resto de nós?*

— Você é linda. Você é a Caroline Amelia Lushamp.

Mas não é isso que ela está perguntando. *Diga que você a quer*. Mas não consigo, porque não quero, não assim. Começo a enrolar. Dou tudo de mim. Fico repetindo quem ela é e como é bonita, mesmo quando Caroline começa a se vestir, mesmo quando pega o celular. Mesmo quando diz:

— Não posso mais fazer isso.

Ela abre a porta com tudo, deixando a luz entrar. Fico temporariamente cego. Quando volto a enxergar, ela se foi.

LIBBY

Parece que ficamos nos beijando por horas.

Continuamos mesmo quando alguém entra tropeçando no quarto e nos cega com as luzes do teto e depois sai tropeçando de novo.

Nos beijamos até ele ser todo mãos e enfiar a língua na minha orelha. Então penso: *Não quero ser a Pauline Potter. Não quero que ele seja meu primeiro. Não quero que seja nada meu.*

Então o afasto e digo:

— Sinto muito, Mick de Copenhague. Não sou a Pauline Potter.

Ele se ajeita e pergunta:

— Quem?

— Esquece. Acho que preciso de uma bebida. Não quero mais ficar aqui, desculpe.

E eu meio que espero que ele fique arrasado, mas o garoto só dá de ombros, sorri para mim e diz:

— Tudo bem.

Ele me ajuda a levantar. Arrumo o cabelo e a blusa enquanto saímos. Ando atrás dele e, embora não tenha mais vontade de beijar o Mick de Copenhague, ele é tão bonito que só consigo pensar: *Garota, alguém REALMENTE gosta de você.* E a sensação é maravilhosa.

JACK

Encontro o Kam na cozinha, mandando ver na bebida. Seu cabelo está lambido e ele está abraçado com uma garota que pode ser a Kendra Wu (pequena, asiática, cabelo preto comprido e trançado). Pergunto:

— O que estamos bebendo?

A Garota que Pode Ser a Kendra me entrega uma coisa marrom que não parece cerveja.

Viro. Meu esôfago queima como se tivesse bebido gasolina.

— Mais um — digo.

E vão enchendo meu copo.

Kam esvazia o dele e bate no balcão. Joga os dois punhos para o alto e uiva.

Um pouco depois, estou andando pela festa, procurando por um moicano preto, porque estou muito bêbado para dirigir e de repente só quero ir para casa. Quero ir embora agora mesmo. Eu o encontro do lado de fora, perto da piscina. Estou num ponto que nem ligo de ficar olhando um tempo. Vou até a Pessoa que Provavelmente É o Seth e digo:

— Preciso de uma carona até em casa.

Ele responde:

— Claro, claro, Mass. Espere só a gente terminar.

Ele pega um baseado, dá uma tragada e começa a rir sem motivo.

Pego o negócio da mão dele e dou uma tragada também, porque talvez esse seja o segredo da vida. Talvez isso me dê respostas. Mas só acabo tossindo como um velho por uns cinco minutos. Alguém me dá uma bebida para ajudar a descer, então a piscina fica inclinada e o piso também, e de repente vejo o céu onde deveria ser o chão e um garoto com um moicano está em cima de mim perguntando:

— Tudo bem, cara?

Fecho os olhos, porque não, não está tudo bem. Quero dormir aqui no céu, onde o chão deveria estar, mas o mundo gira mais rápido quando estou de olhos fechados. Eu os abro de novo e, de alguma forma, fico em pé. Minha única esperança é que talvez a Bailey Bishop esteja aqui, porque ela nunca bebe. Mas nem sempre a Bailey vem nas festas, e nunca vou conseguir encontrar a garota na multidão de loiras. Volto para dentro da casa, e parece que está ainda mais cheia, como se os alunos de três outras escolas tivessem chegado enquanto eu estava do lado de fora.

Não conheço ninguém.

Me arrasto pela cozinha, pela sala de jantar, pela sala de estar. As pessoas gritam para mim, e uma garota tenta me agarrar, segurando meu braço como se fosse uma boia salva-vidas. Tem o mesmo cheiro da Caroline, mas não é ela — é magrinha, branca e tem o cabelo claro e enrolado.

— Meus Deus, Jack Masselin! — ela fala.

E me dá um beijo na boca.

A garota tem gosto de cigarro, então eu a empurro.

— Babaca!

Ela vira e continua dançando com as pessoas que estão ao seu redor.

Estou quebrando todas as minhas regras para esse tipo de situação — não sorrio, não aceno com a cabeça nem digo "E aí?". Não mexo com as garotas. Faço contato visual, como se de repente fosse conseguir reconhecer todo mundo. (Não consigo.) Fico focado num cara durante tanto tempo que ele pergunta:

— Que porra você está olhando?

Mas não ligo. Estou empolgado, porque a sensação é de que estou fazendo alguma coisa perigosa, *como se a qualquer momento fossem sacar tudo.*

O cômodo em que estou agora triplicou de tamanho e as paredes estão a quilômetros de distância. Está cheio de gente, e nunca vou conseguir passar por todos. Me sinto como uma estrela do rock, com estranhos agarrando minha camiseta, meus braços, meu corpo. Me esforço para passar por eles, porque a porta tem que estar em algum lugar e preciso de ar. Meus pulmões estão cheios de fumaça e meus ouvidos estão cheios do *tum-tum-tum* da música e meu cérebro está cheio de informações que não consigo processar.

Eu poderia ir dirigindo para casa. Mas estou bêbado e não posso não quero não devo não vou dirigir.

Pergunto para um cara:

— Cadê a porta?

— O quê? — ele grita.

— Cadê a porta? — grito de volta.

— Por ali — ele diz, apontando numa direção.

Quando viro, uma garota tropeça em mim e quase perco o equilíbrio. Ela agarra meu braço e ri sem parar.

— Desculpe!

A garota segura minha mão e começa a girar no ritmo da música. Eu a solto.

O ar aqui é tão denso e compacto que parece que acabou o oxigênio. Eu nos imagino deitados como seguidores de um culto depois de um suicídio em massa. Preciso chegar até uma janela ou uma porta, mas estou sendo engolido por esse cômodo e essas pessoas e essa música. *Por que ninguém mais está em pânico?* Todos parecem felizes, como se esse fosse o melhor dia de suas vidas. *Como não estão preocupados com a falta de ar?*

Não lembrava que a casa do Kam era tão grande ou complicada, mas parece enorme agora. Pergunto ao cara ao meu lado:

— Ei, como eu saio daqui?

— O quê?

— Cadê a porta?

— Eu acabei de dizer onde é a porra da porta.

É um déjà-vu terrível. E se eu ficar preso aqui para sempre, tentando encontrar a saída, destinado a reviver essas conversas e interações sem parar?

Quero desistir e deixar a multidão me carregar até que todo mundo esteja se movimentando em um corpo enorme com centenas de braços e pernas e bocas e olhos. O peso desse corpo vai me sufocar ou esmagar até eu ficar tão fino quanto uma boneca de papel, e depois talvez eles me carreguem lá para fora, onde posso flutuar na brisa ou ficar deitado ao lado de um arbusto, em paz para sempre.

Fecho os olhos, e quando abro de novo vejo a porta, além da multidão. Tento abrir caminho até lá e dou de cara com a Caroline. Sério, é ela. O mesmo cabelo preto, a mesma calça. Ela vira e não vejo a pinta, mas imagino que deve ter saído quando colocou a camiseta ou quando estava dançando. Antes que ela diga alguma coisa, eu a agarro e a beijo.

Caroline pode me levar para casa. Ela vai me tirar daqui e eu vou pedir desculpas e ela gosta de ser do tipo que perdoa, e vai ficar tudo bem.

É um beijo longo, e no meio sei que alguma coisa está errada, mas continuo beijando. Quando finalmente a largo, digo:

— Isso é o quanto senti sua falta.

LIBBY

— Aquele é o Jack? — A Iris aponta para o outro lado da sala.

Nós quatro viramos como se fôssemos uma pessoa só, a tempo de ver o Jack Masselin agarrar uma garota e a beijar.

Uma a uma, minhas amigas olham para mim, e percebo que estou com a mão na boca. Toco os lábios que o Mick de Copenhague beijou recentemente, e só consigo pensar que o Jack é livre para beijar quem quiser, mas não tenho que ficar assistindo.

Abro caminho até a porta dos fundos, para longe do Jack e da garota. Ouço a Bailey me chamar, mas não paro. Não posso parar. Não consigo respirar.

Do lado de fora, sinto o ar fresco da noite e abro caminho entre as pessoas até chegar à esquina e a noite de repente fica calma, e estou sozinha. Encosto na parede da casa e encho os pulmões.

JACK

Caroline me olha com uma cara muito esquisita, e de repente tem duas dela, lado a lado. Blusa igual, calça igual, a única diferença é que uma delas tem uma pinta ao lado do olho.

A música acaba e é seguida por um breve silêncio. A Caroline com a pinta diz:

— Você é um babaca.

E a música começa de novo, mas agora todo mundo está olhando para nós.

Ela começa a chorar, e eu tenho certeza de que *ela* é a Caroline, não a outra, a que não tem a pinta, a que está parada ali com os olhos brilhando e a boca toda torta, fingindo estar brava. Dá para ver que, quem quer que seja — a prima, provavelmente —, está adorando isso. Minha vontade é dizer: *Ela é da sua família. Tenha um pouco de compaixão.* Mas seria ridículo vindo de mim.

Então faço a única coisa que posso fazer. Vou até o som, desligo a música, e digo para todo mundo:

— Eu tenho um distúrbio neurológico raro chamado prosopagnosia, o que significa que não consigo reconhecer rostos. Eu *vejo* o rosto de vocês, mas assim que olho para o outro lado, esqueço como ele é. Posso tentar pensar em como vocês são, mas não consigo compor uma imagem, e da próxima vez que nos encontrarmos vai ser como se eu nunca tivesse visto vocês antes.

Um silêncio mortal toma conta. Tento encontrar a Caroline na multidão, para ler sua expressão. Tento encontrar qualquer pessoa que conheça, mas todo mundo aqui é um estranho. Juntos, eles são como um muro de pedras, um cardume, uma continuação do outro. Meu coração martela, e o som enche meus ouvidos. Percebo que estou tremendo, então enfio as mãos nos bolsos, onde ninguém vai pode ver. *Digam alguma coisa. Qualquer um de vocês.*

Então alguém grita:

— Que merda é essa, Mass?

As pessoas começam a rir. A música recomeça e uma garota vem até mim e me dá um tapa, mas não tenho ideia de quem seja. Eles acham que é uma piada. Acham que *eu* sou uma piada. Vejo que todos estão se virando contra mim.

Os únicos filmes que gosto de assistir são produções de terror antigas em preto e branco. Posso ter dificuldade de dizer quem é quem, mas reconheço o Lobisomem, o King Kong, o Drácula, o Personagem que Veio do Espaço. Neste momento, estou olhando para um grupo de aldeões — os rostos todos idênticos — empunhando paus e tochas, prontos para caçar o monstro. Ou seja, eu.

Abro caminho por entre as pessoas porque não há mais nada que eu possa fazer. Elas se reúnem ao meu redor e ficam me olhando enquanto tento chegar à porta da frente. Alguém me passa uma rasteira.

— Olhem só pra mim, eu não reconheço rostos — outra pessoa me diz.

Começa a andar como uma múmia, com os braços estendidos na frente do corpo, batendo nas pessoas. Vou até a porta, abro com tudo e, quando tento passar por um cara que parece uma montanha, de repente sou atingido com a força de um meteoro bem no meio das costas e saio voando. Caio no quintal, de joelhos, e demoro um tempo para superar a surpresa e a dor. Alguém me estende a mão e pego sem pensar. A pessoa me ajuda a levantar, então percebo que a mão pertence ao tal cara que parece uma montanha.

— Mass, você parece péssimo — ele diz. — Deve estar sendo uma noite ruim. E ainda vai piorar.

Ele me dá um soco. Seus punhos vêm na minha direção tão rápido que é impossível desviar. Seus punhos não param de me acertar, ou talvez ele não seja o único batendo. De repente, me ouço dizer:

— Mais peso.

E o mundo fica preto.

LIBBY

Estou virando a esquina da casa, entrando no jardim, quando vejo Moses Hunt dar um soco nas costas do Jack Masselin. Em câmera lenta, o Jack cai, e juro que consigo ouvir o impacto quando chega ao chão. Agora o Moses Hunt está socando o rosto dele, e um dos outros irmãos Hunt, talvez o Malcolm, chuta suas costelas.

Nem penso. Acho que dou um grito, porque sinto meus tímpanos arderem e vejo o Moses e o Malcolm e o Reed Young e os amigos deles virarem e me encararem, com a boca escancarada, enquanto me aproximo voando.

Dou um soco bem no nariz do Moses, que cambaleia para trás. Então tiro todo mundo de cima do Jack, e não estou nem pensando no que faço. De repente tenho uma força imensa e luto contra todos eles sozinha, até que o Dave Kaminski e o Seth Powell e o Keshawn Price chegam e ficam ao meu lado, mandando os caras saírem dali.

Fico olhando os Hunt correrem pela rua, com o rabo entre as pernas, enquanto o Dave tenta acordar o Jack.

JACK

O primeiro rosto que vejo é o da Libby. Por um instante, não sei onde estou. Acho que talvez seja um sonho e eu a invoquei. Estendo a mão e toco seu rosto. Ela se afasta.

— Ele acordou.

Tenho que tocar Libby de novo para ter certeza de que ela é real. Pego a ponta do seu nariz.

— Por favor, pare com isso. Sou eu, Jack.

Um cara com cabelo bem claro aparece ao lado dela.

— Eles iam matar você, Mass.

— Estou bem.

Coloco a mão no peito, para sentir meus batimentos e ter certeza de que meu coração ainda funciona. Quando o sinto batendo ali dentro, repito:

— Estou bem.

Um garoto com um moicano aparece por cima do ombro do Kam.

— Cara, ela salvou sua vida.

E começa a rir como um idiota.

Libby diz:

—Vou te levar pra casa.

—Você não tem habilitação.

— *Sério?*

— O quê? Eu posso dirigir.

Apesar de saber que não posso não quero não devo não vou fazer isso.

— VOCÊ ESTAVA BEBENDO. Onde está seu carro?

— Descendo a rua à esquerda. A umas três casas daqui.

Ela anda à minha frente, se afastando da festa, e sinto o cheiro de alguma coisa… De sol.

LIBBY

No início não conversamos. É como se o carro fosse alimentado pela nossa mente, e quanto mais nos concentrarmos mais rápido vamos chegar. Ele fica sentado ali, olhando pela janela, sem fazer nada, mas estou completamente ciente da sua presença. Do modo como uma mão descansa no banco e a outra, na janela. Do modo como de vez em quando as luzes da rua iluminam seus cachos escuros. Do fato de suas pernas serem mais compridas do que as minhas. Do modo como está sentado, como se sempre estivesse perfeitamente à vontade, independente do lugar.

Jack deve sentir que estou pensando nele, porque diz:

— É bom ficar sentado aqui. Com um propósito. Sabendo para onde estamos indo e o que vamos fazer quando chegarmos. Direto e preciso. Preto e branco.

— Pode ser. — Entendo o que ele quer dizer.

Ele olha para mim.

— Você sabe quem é Herschel Walker?

— O jogador de futebol americano?

Ele assovia e solta um "Ai!", então coloca a mão no queixo.

— Quando a gente fica presa em casa, vê bastante TV.

Até coisas que não nos interessam, como documentários da ESPN e programas de reforma.

— Bom, como você deve saber, ele foi um dos maiores running backs da história do futebol americano. Mas, quando era jovem, tinha medo do escuro, tipo, pavor mesmo. E ainda tinha sobrepeso e era gago, então as outras crianças viviam pegando no pé dele. Aí o cara criou esse Incrível Hulk dentro dele, alguém que pudesse enfrentar os outros e que nunca desistisse.

Decido que gosto do Herschel Walker e que, de muitas formas, *sou* o Herschel Walker.

— Ele lia em voz alta todos os dias, treinando para não gaguejar mais. Depois começou a malhar muito, e quando chegou ao ensino médio, era uma fera. Foi o orador na formatura e ganhou o prêmio de melhor jogador universitário. Quando se aposentou do time profissional, começou a notar uma mudança de comportamento e descobriu que tinha um problema chamado transtorno dissociativo de identidade. O cara tinha múltiplas personalidades. — Então o Jack faz um gesto que lembra o sr. Dominguez. — Você precisa ir para a pista da esquerda.

Mudo de faixa e paro no semáforo.

— Vire à esquerda na Hillcrest.

Vejo o mapa na minha cabeça — meu antigo bairro. Aprendi todas as ruas no ano em que ganhei minha primeira bicicleta. Saía e andava por toda parte, com minha mãe ao meu lado, rindo e dizendo:

— Libby, você é muito rápida.

Eu não era. Lembro como ela fazia eu me sentir, como se pudesse ir a qualquer lugar e fazer qualquer coisa.

O Jack continua:

— Então, depois de anos se esforçando, nunca desistindo, parece que a pressão acabou alcançando o Herschel. Quando perguntaram sobre o transtorno, ele o comparou a chapéus... Tipo, a gente usa um para cada situação. Um para a família. Um para a escola. Um para o trabalho. Mas, com o transtorno, é como se os chapéus se misturassem. Então você usa o do trabalho em casa, o da família no trabalho...

— Muitos chapéus.

Sei como é isso, penso.

— Depois de um tempo, é difícil saber qual chapéu é do quê.

Me pergunto se ainda estamos falando sobre o Herschel Walker ou sobre o Jack.

Então ele diz:

— Acho que estamos mais para Herschel Walker do que para Mary Katherine Blackwood. Na verdade, acho que não somos nem um pouco parecidos com ela.

Sinto que ele está me olhando, mas mantenho os olhos na estrada.

— Obrigado por me ajudar hoje — ele diz.

— Prefiro pensar que te salvei.

— Tudo bem. Obrigado por ter me *salvado*.

Tenho que olhar para ele, não consigo evitar. Jack sorri. É um sorriso lento de início, atravessando seu rosto como um raio de sol, até que de repente brilha como o momento mais quente do dia. Evito cobrir os olhos, que é o que quero fazer.

Sorrio de volta.

E nossos olhares se encontram.

Nenhum de nós desvia o olhar, e não quero fazer isso, mesmo quando lembro que estou dirigindo.

Volto a encarar a rua. Fico tentando usar minha visão periférica, mas só vejo um borrão. Sinto que Jack está olhando para mim.

Você precisa se acalmar, garota. Calma.

Passo por um buraco, e parece que o Land Rover vai desmoronar.

— Meu Deus, esse carro é uma merda — Jack diz.

Viramos na minha antiga rua, a Capri Lane. Não passo aqui desde o dia em que me carregaram para o hospital. Jack está falando, mas nem ouço, porque tudo volta à minha mente. Minha mãe. Ficar presa em casa. A sensação de não conseguir respirar, de achar que tudo tinha acabado, que eu estava morrendo. De ser resgatada.

Quando acordei no hospital, tudo era branco, azul, cinza, preto, como se fossem as únicas cores no mundo.

— Você teve uma crise de ansiedade — meu pai disse. — Vai ficar bem, mas precisamos nos certificar de que isso não aconteça de novo.

Agora estamos nos aproximando da minha casa, e vejo ela chegando mais perto de mim, mas não parece em nada com a casa de antes, porque, claro, eles tiveram que reconstruir o lugar. Embora fosse onde vi minha mãe viva pela última vez. Embora suas memórias estivessem em cada parede e em cada pedaço de chão.

Acho que vamos passar reto, mas o Jack diz:

— Para aqui.

No início, me pergunto se é alguma brincadeira idiota. Mas não, ele aponta para a casa de dois andares do outro lado da rua.

— Vou ver se meu irmão está. Ele pode te levar pra casa.

Jack sai do Land Rover e começa a andar até a porta.

Não me mexo.

Então, de alguma forma, abro a porta do carro. Coloco um pé no chão. Me obrigo a sair. Coloco o outro pé no chão. Fico ali parada.

— É aqui que você mora? — pergunto.

Ele vira para mim.

— Vamos!

Então o Jack olha para a casa onde eu morava, e seu rosto fica pálido, quase como se tivesse visto um fantasma.

— Quanto tempo faz?

Só consigo dizer essas palavras.

Ele não responde. Parece estar tendo um derrame.

— Jack? Há quanto tempo você mora aí? Nessa casa?

Silêncio.

— Responde.

— Morei aqui a vida inteira.

E o mundo

simplesmente

para.

— Pode me dizer o que aconteceu, Libbs? Pode me dizer o que te fez entrar em pânico?

— Tudo — eu disse, embora soubesse que meu pai esperava alguma coisa mais específica. — Tudo. Você. Eu. Os aneurismas. A morte. O câncer. Assassinatos. Crimes. Pessoas más. Podres. Falsas. Os garotos da escola. Desastres naturais. O mundo me fez entrar em pânico. O mundo fez isso. Principalmente o fato de ele nos dar pessoas para amar e depois tirar de nós.

Mas na verdade a resposta era simples. Eu tinha decidido sentir medo.

Não sei quanto tempo passa até eu falar de novo. Finalmente, digo:

— Eu morava ali.

Aponto para a casa nova, grande e perfeitamente intacta que fica sobre a cova da minha antiga casa. Ela não tem nada a ver com a que estava ali antes.

— Eu sei.

— Como?

Fico esperando que ele diga. Só quero ouvir o Jack dizer.

— Porque eu estava aqui no dia que te resgataram.

JACK

Marcus dirige, e vou no banco de trás. Está de mau humor por ter de sair de casa, e fica me lançando olhares mortais pelo retrovisor. Ele não liga nem o rádio, de tão bravo que está. Ficamos em silêncio, enquanto a Libby indica o caminho. "Vire aqui" e "Pegue a direita ali". A voz dela parece gelada. Minha cabeça pesa por causa da bebida.

Está quente dentro do carro. E quieto, muito quieto. Acho que cochilo um pouco, porque dou um pulo quando meu celular vibra. Pego o aparelho do bolso e é uma mensagem do Kam.

Tudo bem?

Respondo: **Tudo.**

Seth disse que você tem epilepsia.

Fico olhando para a tela, depois para a nuca da Libby. Desligo o celular e ligo de novo. Escrevo:

Prosopagnosia. É verdade. Acabei de ser diagnosticado.

Como ele não responde, enfio o celular no bolso.

Sinto uma necessidade de gritar no silêncio, mas não faço isso. Depois de alguns minutos, meu celular vibra de novo. Não vejo o que é.

★

Chegamos ao bairro da Libby, e o Marcus diminui muito a velocidade, olhando pela janela enquanto avança. Parte de mim espera que nunca encontremos a casa dela, para que eu tenha tempo de me redimir, mas outra parte está cheia. Da Libby. De tudo.

Inevitavelmente, chegamos, e mais uma vez me surpreendo por sua casa parecer exatamente igual às outras. Se eu fosse projetar uma casa para Libby Strout, seria excepcional. Única. Seria vermelha com telhado de zinco, teria pelo menos dois andares, talvez mais, e uma estação meteorológica supermoderna. E uma torre, mas não para a Libby ficar trancada lá. Seria só um lugar onde ela poderia ficar sentada olhando a cidade e além dela, até o horizonte, talvez até mais adiante.

Marcus diz:

— Chegamos.

A Libby agradece e praticamente se atira para fora do carro. Vivo esquecendo como é rápida. Já está na porta de casa quando consigo descer do carro.

Ela se vira para me olhar.

— O quê? O que foi, Jack? O quê? O quê?

— Sinto muito por não ter dito nada. Não queria te envergonhar mais ainda.

— Você devia ter dito alguma coisa.

— Posso escrever uma carta pedindo desculpas, se ajudar.

Dou um sorriso esperançoso, mas ela só levanta a mão em negativa, e é como se estivesse apagando meu sorriso.

— Não. Fique com as desculpas pra você. Entendeu? Pode tirar esse sorriso do rosto. Ele não funciona comigo. Você se preocupa tanto com o fato de que nunca vai poder ser próximo de alguém... Mas não é culpa da prosopagnosia, é sua. Todos esses sorrisos, a atuação, fingir ser quem você acha que as pessoas querem que seja. É isso que mantém você isolado. É isso que te ferra. Você precisa tentar ser uma pessoa de verdade.

Paro de sorrir.

— Ter sido resgatada da minha própria casa foi o pior momento da minha vida, além de quando minha mãe morreu. Você sabia que recebi cartas me xingando? Todo mundo tinha algo a dizer sobre o que aconteceu, sobre o quanto eu era gorda, sobre meu pai. Queriam ter certeza de que eu soubesse quanto nojo sentiam e que era tudo culpa minha. Mandaram cartas para o hospital e para a minha casa. Descobriram meu e-mail e escreveram para ele. Sério, quem faz isso? Quem vê uma história dessas no jornal e diz: *Vou escrever uma carta para essa garota e dizer o que acho dela. Será que envio para o hospital ou entrego em mãos?* Você e seus irmãos deram boas risadas com minha história?

Seus olhos parecem em chamas. Ela está me desafiando a dizer: *Sim, foi exatamente isso, meus irmãos e eu rimos muito. Adoramos ver pessoas quase morrendo.*

Em vez disso, digo:

— Sinto muito.

Naquele momento, quero escrever não só uma carta pedindo desculpas, mas centenas, uma para cada pessoa horrível que disse ou fez mal para ela.

— Ninguém teria feito isso se te conhecesse. E, só pra constar, nem todo mundo queria seu mal. Estávamos torcendo por você. Eu estava.

— O que você disse?

— Eu estava torcendo por você.

Alguma coisa atravessa seu rosto, então percebo: agora ela sabe que fui eu que enviei o livro.

LIBBY

Meu pai está sentado na frente do computador. Assim que me ouve entrar, ele levanta e aponta para o relógio na parede.

— O que aconteceu?

Conto, porque estou cansada demais para fingir que está tudo bem. Sinceramente, ele precisa, sim, se preocupar comigo. Não posso proteger meu pai para sempre. Então falo tudo, sobre o Mick de Copenhague, a briga, Moses Hunt, ter levado o Jack para casa e descoberto que ele estava lá quando destruíram nossa casa e que esse tempo todo ele era o Dean dos irmãos Dean, Sam e Castiel. Então conto as outras coisas que estava escondendo havia um tempo — as cartas e as Damsels e o biquíni roxo. Estou cansada e irritada e triste e de coração partido e vazia. Só quero ir dormir, mas meu pai é tudo o que tenho.

Ele fica andando enquanto falo, e assim que paro, ele para também.

— Eu preciso saber que você está bem — meu pai diz. — Preciso saber se devo ir até a casa dos Hunt e socar aquele menino.

Ele está com raiva do mundo lá fora, e isso me faz amar meu pai ainda mais.

— Estou bem.

— Você me contaria. — Ele parece estar em dúvida. — Você vai me contar.

— Vou. Sempre. De agora em diante. Sinto muito. Por tudo o que te fiz passar.

Sei que ele sabe que estou falando de tudo mesmo, não só desta noite.

— Sinto muito também, Libbs.

E de repente percebo. Todo o sofrimento que meu pai encarou, engoliu e carregou — não só por ter perdido minha mãe, mas por causa das pessoas que o culpavam pelo que aconteceu comigo. Se alguma vez ficou com raiva, nunca percebi. Ele só segue em frente, garantindo que eu esteja me alimentando bem, tentando me manter a salvo e fazendo com que me sinta amada.

E então, talvez para provar que não existem segredos entre a gente, ele me conta sobre a mulher com quem está saindo faz um tempo. Seu nome é Kerry, e ela é professora de matemática. Tem a idade dele, foi casada, não tem filhos. Meu pai diz que não me contou porque não sabia se ia dar certo ou em que pé estavam, e queria ser cuidadoso comigo e com ela. Mas, no fundo, acho que só tinha medo de que eu me sentisse mal por ser a única no mundo que não seguia em frente.

Digo isso a ele, que pega minha mão.

— Não é seguir em frente, Libbs. É continuar de um jeito diferente. É só isso. Levar uma vida diferente. Em um mundo diferente. Com regras diferentes. Nunca vamos deixar aquele mundo para trás. Só vamos criar um novo.

JACK

Já passa da uma da manhã quando Marcus e eu chegamos em casa. Fico na frente da geladeira aberta por pelo menos cinco minutos, talvez mais, querendo que alguma coisa gostosa se materialize — uma pizza, um frango inteiro, um filé gigante ou costelinhas. Como isso não acontece, pego um refrigerante, algum tipo de molho de abacate/ espinafre/ queijo e um salgadinho, e sento na cozinha escura para um banquete.

Quando já comi metade, meu celular acende do outro lado da cozinha, onde o deixei. Levanto, caso seja a Libby, apesar de saber que não é. É o Kam.

Tô vendo aqui que esse negócio é foda. Mas todo mundo tem alguma coisa. Todo mundo é estranho. Você não é o único.

Leio três vezes porque, sinceramente, estou atordoado. Talvez o Dave Kaminski vire mesmo um cara legal.

Chega mais uma mensagem: **Babaca.**

Respondo: **Imbecil.**

Então largo tudo e subo até o quarto dos meus pais. Bato na porta. Fico batendo até que outra porta abre e um garotinho magrelo com orelhas grandes aparece:

— Jack?

— Desculpa ter te acordado, maninho. Pode chamar o Marcus?

— Claro.

A porta do quarto dos meus pais abre, e a mulher que surge parece bem sonolenta. Seu cabelo está armado e ela mantém um olho fechado.

— Jack? — Ao me ver, ela arregala os olhos e estende a mão na direção do meu rosto. — Meu Deus! O que aconteceu com você?

E aí lembro: *Ah, é, os irmãos Hunt me deram uma surra.*

— Não é nada. Estou bem. Olha só, preciso falar com você e com o papai.

Olho para o quarto, mas está vazio. Ouço uma porta abrindo atrás de mim, e o homem que deve ser meu pai sai do quarto de hóspedes.

Nós cinco estamos sentados na cama dos meus pais, como se fosse véspera de Natal e ainda fôssemos crianças. Marcus não disse nada até agora. Só ficou me olhando debaixo de todo aquele cabelo.

Digo para eles:

— É uma doença neurológica rara.

Minha mãe pesquisa no Google enquanto eu falo.

Pai: Você tem problemas de visão ou dores de cabeça?

Dusty: Pode ser uma concussão.

— Não é um problema de visão, e não é uma concussão.

Pai: Também fico confuso às vezes. Esqueço nomes o tempo todo. Ainda não consigo reconhecer os clientes da loja, depois de todos esses anos.

— Não é a mesma coisa. Tem uma parte específica do cérebro que reconhece rostos. Por algum motivo, a minha não existe ou não funciona.

Dusty quer saber onde é, e eu mostro, então minha mãe acha um diagrama do cérebro. Todos se aproximam, até o Marcus, e ela lê:

— "Prosopagnósicos têm muita dificuldade em reconhecer até mesmo pessoas que já encontraram muitas vezes e conhecem bem... inclusive da família." — Ela olha para mim como se perguntasse se é verdade. Faço que sim com a cabeça. — "A prosopagnosia é causada por um problema no processamento de informações visuais no cérebro, que pode estar presente desde o nascimento ou se desenvolver mais tarde devido a uma lesão no órgão."

— Pode ter acontecido quando você caiu do telhado — Marcus diz.

Conto que fiz um teste, e eles têm milhões de perguntas. Respondo o melhor que posso, e depois de um tempo minha mãe diz:

— Quero que você lembre que não pode se sentir responsável por tudo. Somos seus pais e vamos dar um jeito. Tudo o que você precisa fazer, aliás, todos vocês — ela olha para meus irmãos — é deixar que a gente ajude.

— Todos nós? — Dusty pergunta. — Mesmo os que não têm problemas neurológicos?

— Todos vocês.

LIBBY

Sempre achei que a gente devia poder congelar o tempo. Assim daria para apertar o *pause* em um momento muito bom da vida para que nada mudasse. Imagine. As pessoas não morrem. Você não envelhece. Vai dormir e tudo está exatamente igual quando acorda no dia seguinte. Nenhuma surpresa.

Se eu pudesse fazer isso, seria neste momento, dormindo no ombro do meu pai, com o George no colo, como se eu tivesse oito anos de novo.

Isto é o que sei sobre perda:

- Não melhora, você só se acostuma com ela (de algum jeito).
- Você nunca deixa de sentir falta das pessoas que se vão.
- Para uma coisa que não está mais ali, pesa uma tonelada.

A perda da minha mãe era tão grande que parecia que eu estava carregando o mundo. Então, quando comecei a comer — muito —, carregar o peso a mais não parecia fazer diferença. Mas acabou sendo demais. É por isso que às vezes precisamos largar alguma coisa. Não dá pra carregar tudo pra sempre.

JACK

Está quase amanhecendo quando vou para a cama. Deito em cima do cobertor, desperto, sem tirar os sapatos ou as roupas, e fico olhando para o teto. Estou cheio, e também vazio, mas não de um jeito ruim. Talvez *vazio* não seja mesmo a palavra. Me sinto leve.

Talvez eu ame a Libby Strout.

Não só goste *dela.*

Ame.

De verdade.

Amo sua risada divertida e rouca, que faz parecer que ela está resfriada. Amo o jeito como anda, como se desfilasse. Amo sua imensidão, e não estou falando do peso físico.

Então começo a pensar em seus olhos. Se você me perguntasse como são os olhos da Caroline, eu não saberia dizer. Embora possa dizer como são quando olho para eles, não consigo descrever quando não estão diante de mim.

Mas sei dizer como são os olhos da Libby.

São como deitar na grama sob o céu em um dia de verão. O sol te cega, mas você sente o chão sob seu corpo, então por mais que pareça que você poderia simplesmente sair flutuando, sabe que isso não vai acontecer. Você se sente aquecido por dentro e por fora, e o calor se mantém ali quando se afasta.

Posso dizer outras coisas também.

1. Ela tem uma constelação de sardas no rosto que lembra Pégaso (bochecha esquerda) e Cisne (bochecha direita).
2. Seus cílios são muito compridos, e quando está brincando comigo ela dá umas piscadas lentas, de propósito, que tiram meus pés do chão.
3. O sorriso dela é maravilhoso, como se viesse do fundo de seu corpo, uma parte feita de céu azul e raios de sol.

Então eu penso: *Espera um pouco.*

Sento. Esfrego a cabeça. Talvez seja a bebida, mas...

Quando comecei a conseguir lembrar do rosto dela?

E de repente estou tendo uma experiência meio *Sexto sentido* e minha mente volta às semanas que convivi com ela. Penso em todas as vezes que a vi, em cada vez que consegui distinguir a Libby em uma multidão ou reconhecer quem era fora de contexto. Testo meu cérebro.

Imagine suas sobrancelhas.

Levemente arqueadas, como se estivesse sempre interessada.

Imagine seu nariz.

Treme quando ela ri.

Imagine sua boca.

Lábios vermelhos, os cantos sempre apontando para cima, como se estivesse sorrindo mesmo quando não está.

Imagine todos os pedaços juntos.

Maçãs do rosto saltadas, queixo para dentro. O furor e a suavidade e o brilho que a fazem parecer tão viva.

Todo esse tempo, pensei que fosse o peso que me fazia identificar a Libby.

Mas não é.

É ela.

LIBBY

Acordo cedo, apesar de ser domingo. Deixo um bilhete para meu pai e saio de casa, de jaqueta e cachecol. Depois de uma quadra, minhas mãos estão congelando, e eu as enfio nos bolsos. Vou encontrar a Rachel no parque, porque tenho que contar uma coisa para ela. *Eu sei por que dei um soco no Jack Masselin.*

O ar está gelado e parece inverno, ou pelo menos o começo do inverno. É a época do ano de que menos gosto, porque tudo morre ou dorme, tem muita calmaria no ar, e o céu fica cinza durante tanto tempo que parece que nunca mais vai ser azul. Neste momento, ele não consegue se decidir. Está azul em algumas partes e cinza em outras, com pontos brancos, como uma colcha desbotada.

Rachel trouxe chá quente. Sentamos de frente para o campo de golfe, soprando a bebida para esfriar um pouco. Conto sobre o Mick de Copenhague e sobre ter levado o Jack para casa.

— Aquele Jack?

— Aquele Jack.

Antes que ela possa perguntar a respeito, menciono o grupo de dança que vou montar com a Bailey, a Jayvee e a Iris.

— O melhor é que todo mundo pode entrar. Não tem restrições de peso, altura, idade ou sexo. Não tem nenhuma restrição, aliás. Se você sabe dançar, ainda que só um pouco, já está dentro. E vamos dançar pela alegria de dançar, sempre e em todos os lugares que quisermos.

— Posso participar?

— Claro.

— A gente vai rodar?

— Óbvio.

— E vai ter figurino?

— Sim, mas um diferente para cada integrante.

Rachel me conta sobre sua nova namorada, a Elena, uma designer gráfica que conheceu em uma padaria. Ela diz que as duas têm um monte de coisas bobas em comum, mas também coisas grandes, importantes, como o fato de terem saído do armário para a família e os amigos com a mesma idade. Rachel assopra a bebida, toma um gole. Olha para mim por cima do copo.

— Sabe, é isso que você está fazendo, de certa maneira... saindo do armário. Saindo do quarto. Saindo de casa. Saindo da casca.

— Acho que sim.

Penso no Jack, tão sozinho quanto eu estava todos aqueles anos no meu quarto.

Como se conseguisse ler minha mente, ela diz:

— Então, por que fez aquilo? Por que deu um soco nele?

— Porque, depois de tudo o que aconteceu comigo, senti como se o Jack estivesse tentando me enfiar de novo naquela casa e me trancar lá dentro. Foi como se ele estivesse me dizendo que eu estava certa por entrar em pânico e ter medo.

— Ninguém pode te trancar, Libby. É você que escolhe se deixa que façam isso.

— Agora eu sei. Tipo, sei de verdade. Eu achava que sabia antes, mas não sabia.

— E vocês ainda são amigos?

— O Jack mentiu pra mim.

— Talvez ele estivesse tentando te proteger. Não estou defendendo o garoto, mas provavelmente achou que estava fazendo a coisa certa.

— Talvez.

Então conto sobre as cartas.

Rachel solta o copo.

— Quando foi a última vez que recebeu uma?

— Já faz um tempo. Foi antes de eu usar o biquíni roxo.

— Você descobriu quem mandou?

— Não, mas tenho quase certeza de quem é. E sinto pena da pessoa, porque ela nunca vai sair do armário. Ela mantém quem é trancada, onde ninguém consegue acessar, nem ela mesma.

Rachel pega o copo de novo.

— À Libby Strout, a maior pessoa que conheço, e não estou falando do exterior.

Batemos nossos copos de papelão.

— E à Rachel Mendes, por me amar mesmo não sendo obrigada.

Quase digo *E por salvar minha vida*, porque por algum motivo agora estou pensando em mim mesma aos onze e aos treze anos. Aquela garota parece outra pessoa, de outra vida, e não tem nada a ver com quem sou agora. Mas sei que eu não seria eu mesma sem ela. Não seria a Libby Strout, aluna do primeiro ano do ensino médio, com meu próprio grupo de amigas. Eu não teria dançado, rodado ou tentado entrar para as Damsels. Não teria me defendido sozinha ou usado meu biquíni roxo. Não teria ido a Bloomington ou à Clara's com o garoto de quem gosto — gosto *de verdade*. Ele não teria partido meu coração, porque eu teria sentido medo demais. E, ainda que um coração partido doa muito, é melhor do que não sentir nada.

Outra coisa que eu não faria: não estaria sentada neste banco, com o rosto e o nariz congelando, bebendo chá com uma amiga. E, ainda que eu não soubesse que este exato momento existiria, eu queria sair para ver o mundo.

Depois que Rachel vai embora, deixo minha cópia — *aquela* cópia — de *Sempre vivemos no castelo* no banco com um bilhete.

Querido amigo,

Você não é uma aberração. Alguém gosta de você. Alguém precisa de você. Você é único. Não tenha medo de deixar o castelo. Tem um mundo enorme e maravilhoso lá fora.

Com amor,
Uma companheira leitora

JACK

O pai da Libby me diz que ela está no parque com uma amiga, e é para lá que eu vou. Meu celular toca, é o Kam, mas não atendo.

E se fosse a dra. Klein ligando para dizer que ela estava errada, que existe uma cura? O que eu faria? Mexeria no meu cérebro se isso significasse que reconheceria as pessoas como todo mundo reconhece?

Ou não?

Fico tentando imaginar como isso me mudaria.

Eu não seria mais eu, certo? Porque, desde que me lembro, é assim que reconheço as pessoas. Eu as estudo. Aprendo os detalhes.

A verdade é que não sei o que significa ver o mundo como as outras pessoas veem. Talvez eu não me reconheça num espelho, e talvez não saiba dizer exatamente como sou, mas não sei se me conheceria como me conheço se não tivesse prosopagnosia. Isso também vale para meus pais e meus irmãos e meus amigos e a Libby. Estou falando de todos os detalhes que fazem dessas pessoas *elas*. Todos olham uns para os outros e veem a mesma coisa, mas eu tenho que me esforçar mais para enxergar o que está por trás do rosto. É como se desmontasse cada um e depois montasse de novo. Do mesmo jeito que fiz com o Chutamerda.

Este sou eu.

Isso faz com que eu me sinta especial? Um pouco. Tive que me esforçar muito para aprender quem todo mundo era, e ainda que a cor da pele ou do cabelo me ajude, não é isso que as pessoas são para mim.

Não é isso que vale. São as coisas importantes, tipo o modo como o rosto se ilumina quando alguém ri, ou como alguém anda na minha direção, ou como suas sardas são um mapa das estrelas.

LIBBY

Estou na saída do parque, empacotada na jaqueta, o cachecol puxado até o queixo, quando um Land Rover ferrugem se aproxima. Ele para com tudo no meio da rua. Jack Masselin desce, deixando o motor ligado, e vem até mim, cheio de onda.

— O que está fazendo aqui?

— Seu pai disse que podia te encontrar no parque. Meu Deus, que frio. Ia mesmo andar até sua casa?

— O que está fazendo aqui? — repito mais devagar e mais alto.

— Olha só, sinto muito por não ter contado onde eu morava e que vi você sendo resgatada. Não devia ter escondido, e você tem todo o direito de estar com raiva.

— Sim, você devia ter me contado.

— Eu sei, eu errei. Mas, se você não se importar, tem outra coisa que preciso dizer agora. Podemos voltar a esse assunto mais tarde, pra você poder me xingar o quanto quiser.

— O que foi, Jack?

— Eu vejo você.

— O quê?

— Eu vejo você, Libby Strout. Você.

— Do que está falando?

— Eu vejo você. Eu me lembro de você. Reconheço você.

Aponto para meu corpo.

— Não sou exatamente invisível.

— Meu Deus, dá para colaborar?

— E daí? Você usa marcas para descobrir quem as pessoas são. O tamanho é a minha.

— Sua marca é você mesma. Eu me lembro dos seus olhos. Da sua boca. Das sardas nas suas bochechas, que parecem constelações. Conheço seus sorrisos, pelo menos três deles, e pelo menos oito das suas expressões, incluindo a que você faz com os olhos. Se eu soubesse desenhar, desenharia você sem precisar olhar. Porque seu rosto está gravado na minha mente.

Então ele fecha os olhos e me descreve de um jeito que nunca ouvi antes. Meu coração acelera, e entendo que nunca vou esquecer esse momento, nem daqui a cinquenta anos.

Jack abre os olhos e diz:

— Eu sei como você se move. Sei como olha pra mim. Sei que você me vê, porque é a única que me olha desse jeito. Juntos ou separados, não preciso ficar pensando muito ou juntando as peças. É você. É isso que eu sei.

— Isso não significa que você me ama. Só porque me vê.

As sobrancelhas do Jack se arqueiam, e ele começa a rir.

— Quem falou em amor?

Quero mais do que tudo desaparecer no ar.

— Mas se, hipoteticamente, eu te amasse, não seria porque vejo você e então penso: *Bom, pelo menos eu a enxergo, então é melhor amar essa garota*. Tenho certeza de que vejo você *porque* eu te amo. E, sim, eu acho que te amo, porque eu *vejo você, Libby,* você inteira, cada partezinha maravilhosa.

Acho que ele vai dizer *hipoteticamente* de novo, mas não diz.

Jack só olha para mim.

Então eu olho para ele.

E estamos tendo um momento.

Dura alguns segundos, talvez até minutos.

Puxo o cachecol até o nariz. Minha vontade é esconder a cabeça inteira.

— Toma.

Ele me entrega alguma coisa. Dou uma olhada. BEM-VINDO A OHIO.

De início, não sei por que me deu aquilo. Não fomos a Ohio juntos. Fui para lá uma única vez.

Há muitos anos.

Com meus pais.

De repente, sou transportada para minha casa antiga, para o dia em que minha mãe colocou esse ímã na nossa geladeira.

— *Vamos encher a geladeira com todos os lugares que visitarmos* — *ela disse.* — *Ohio pode não parecer exótico, mas um dia, quando tivermos ímãs por toda parte, você vai olhar para este aqui e dizer: Foi o começo de tudo.*

Agora o Jack diz:

— Eu nunca devia ter pego.

— Pego?

— Da sua casa. Entrei lá naquele dia, para ver o que podia descobrir sobre você. Tive que falar para o segurança prestar atenção, para que vocês não fossem roubados.

— Depois de ter roubado isso.

— É. E o livro que mandei pra você.

— Por que ficou com o ímã?

— Me lembrava de você.

— Nossa, você é sentimental.

Ele ri e esfrega o queixo.

— Parece que sim.

— Tudo bem. — Minha voz é abafada pelo cachecol. Fecho a mão em volta do ímã. Parece bobo, mas fico pensando: *Minha mãe segurou isso. Parte dela ainda está aqui.* — Fico feliz que tenha pegado o ímã.

Foi o começo de tudo.

— Libby Strout. — A boca e os olhos de Jack estão sérios. Acho que nunca o vi assim. — Alguém gosta de você.

Ele afasta o cachecol.

Coloca as mãos no meu rosto, com cuidado e delicadeza, como se eu fosse uma joia rara e preciosa.

E me beija.

É o melhor beijo da minha vida, e eu sei que isso não quer dizer muito. Mas é um daqueles beijos que expande nosso mundo, que poderia bater qualquer outro beijo que já aconteceu ou que ainda vai acontecer com qualquer pessoa em qualquer lugar. É como se ele estivesse respirando por mim, ou talvez estivéssemos respirando um pelo outro, e nos fundimos, até que meus membros não são membros e meus ossos derretem e os músculos e a pele, até restar só eletricidade. O céu cinza e nebuloso da manhã se transforma no céu noturno, e tem estrelas por todo lado, e eu me sinto tão perto delas que poderia pegar uma a uma e levar para casa, ou então colocar no cabelo.

Não sei quem se afasta primeiro, talvez ele, talvez eu. Mas ficamos com a testa encostada uma na outra e agradeço, porque uma parte de mim está gritando *Ai, meu Deus, é o Jack Masselin*, mas não estou impressionada, estou é quase envergonhada porque conheço esse garoto de um jeito que ninguém mais conhece, e vice-versa.

Então levantamos a cabeça e os olhos, que se encontram, e eu não preciso me perguntar como pareço para ele, porque me vejo ali, no reflexo em suas pupilas, como se o Jack tivesse mesmo me guardado e me carregasse por toda parte.

— Hum — ele faz, e expira como se tivesse segurado o ar todo esse tempo.

— É... — Tento ser engraçada, porque esse mundo ainda é novo para mim e estou encontrando meu lugar nele. — Quer dizer, não é como se o mundo tivesse parado. — Minha voz treme, só um pouco.

Mas, na verdade, parou, sim. Parou mesmo. Ficou paradinho.

Estamos fazendo isso. Isso está acontecendo. Nós nos encontramos e mudamos o mundo. O dele e o meu.

Meu corpo parece uma única terminação nervosa que vai da cabeça aos pés. Tudo parece vivo e *mais*. Meu coração está se abrindo, como o da filha de Rappaccini, Beatrice, quando ela conhece o jovem Giovanni em seu jardim. Em pé, ali, quase o sinto se abrir, pétala a pétala, batida a batida.

JACK

Digo:

— Eu te amo.

Ela diz:

— Eu também te amo. — E ri. — É meio esquisito. Quer dizer, é *você*.

— Eu sei. Que loucura!

Ela cobre a boca com a mão, mas seus olhos brilham. Estou pensando em um gramado em um dia de verão. Estou pensando no sol e em ser aquecido de dentro para fora e de fora para dentro.

Pego sua mão sob o céu cinza e azul, e estou em casa.

AGRADECIMENTOS

Juntando os pedaços veio do meu coração e das perdas, dores e medos que eu e pessoas de quem gosto tiveram que enfrentar. Essas pessoas — e muitas outras — me ajudam a juntar os pedaços. Eu não teria conseguido escrever este livro sem elas.

Em primeiro lugar, obrigada aos meus leitores ao redor do mundo, que se tornaram minha família (#ReadersAreLife). Eu amo vocês, muito e para sempre.

Agradeço à minha agente brilhante, Kerry Sparks, que é a pessoa mais experiente, sábia e encantadora do planeta, e que sempre, sempre cuida de mim, de todas as maneiras. Agradeço também a toda a equipe da agência literária Levine Greenberg Rostan. Vocês transformaram meu mundo preto e branco em tecnicolor.

Obrigada à minha incrível editora, Allison Wortche, e a seus instintos impecáveis. Ela não empunha uma caneta vermelha, mas uma varinha mágica. E ao meu fantástico editor no Reino Unido, Ben Horslen, por sua genialidade.

Agradeço a todos da Knopf, da Random House Children's Books e da Penguin UK pela bondade, pelo apoio e por acreditarem tanto em mim, e por serem os melhores profissionais que existem. E um sem-fim de obrigadas a Barbara Marcus, Jenny Brown, Melanie Nolan, Dominique Cimina, Jillian Vandall, Karen Greenberg, Kim Lauber, Laura Antonacci, Pam White, Jocelyn Lange, Zack O'Brien, Barbara Perris, Alison Impey, Stephanie Moss, Rosamund Hutchison e Clare Kelly. Agradeço também a David Drummond pela capa espetacular.

Muito obrigada à minha assistente superstar Briana Bailey, por tudo o que ela é e por tudo o que faz, à incrível Shelby Padgett (que é uma bruxa, eu juro) e a Lara Yacoubian. Também a Letty Lopez, e a todos os editores, diretores, escritores e colaboradores da *Germ*, com abraços extras para Briana, Shelby e Jordan Gripenwaldt. Tenho muito orgulho de tudo o que nós temos — *vocês têm* — feito.

Não precisei ser resgatada da minha própria casa, como a Libby, mas ao longo dos anos enfrentei problemas com peso e ansiedade — principalmente quando tinha a idade da Libby — e sei como é sofrer bullying. Além da minha própria, lancei mão da experiência de familiares e amigos, que também vivenciaram tudo por que a Libby passou.

Não tenho prosopagnosia, mas alguns familiares têm. Meu primo adolescente aprendeu a reconhecer as pessoas não pelo rosto, mas pelas coisas realmente importantes, como "o quanto são amáveis e quantas sardas têm". Agradeço muito por me ajudar a ver como ele vê.

Agradeço ao incrível Jacob Hodes, que também tem prosopagnosia e fez uma revisão meticulosa deste livro. Ele me ajudou a distinguir o que funcionava do que não funcionava, e suas sugestões foram inestimáveis para tornar a jornada do Jack o mais autêntica possível.

Obrigada ao Centro de Pesquisa de Prosopagnosia e ao dr. Brad Duchaine, do Departamento de Ciências Psicológicas e Neurológicas da Faculdade de Dartmouth, por sua ajuda e generosidade. Ele e o dr. Irving Biederman, professor de neurociência e psicologia da Universidade do Sul da Califórnia, responderam pacientemente a todas as minhas muitas perguntas.

Também quero dar o devido crédito a Chuck Close e Oliver Sacks, cujos trabalhos serviram de inspiração e fonte de informação, e aos membros do grupo do Yahoo "Face Blindness — Prosopagnosia", que me ajudaram de maneira esclarecedora e fascinante.

Obrigada ao dr. William Rice III, do Centro Médico Wake Forest Baptist, por sua contribuição técnica, e ao meu amado primo Learyn von Sprecken, gênio da engenharia, que me ajudou a criar os incríveis projetos do Jack.

Obrigada também a meus primeiros leitores, Louis Kapeleris, Angelo Surmelis, Jonda McNair, Garen Thomas, Nic Stone, Becky Albertalli e Margaret Harrison, fã devota de *Por lugares incríveis*. A sinopse de *Juntando os pedaços* dela diz: "Para ser sincera, depois de *Por lugares incríveis*, eu estava meio que esperando que alguém fosse atropelado por um caminhão na última página. Fico feliz por isso não ter acontecido". E Kerry Kletter, autora de YA, heroína e amiga. Ela não só é uma escritora fantástica, mas uma editora incrível. Chegou em um dos momentos mais importantes da vida deste livro e ficou ao meu lado até o fim, oferecendo amor e uma mão amiga muito necessária, além das alterações de última hora mais sagazes de que uma autora exausta poderia precisar. Sempre vou amar Kerry pelo que deu ao Jack, à Libby e a mim.

Agradeço aos amigos autores de YA pela camaradagem e pela inspiração contínuas, e a todos os livreiros e bibliotecários e educadores e blogueiros que conheci nos últimos dois anos. Vocês são estrelas e nunca vou ser capaz de agradecer o suficiente por tudo o que fizeram por mim.

Ao Jackson 5 por me fazer companhia enquanto eu escrevia, ao Sam e ao Dean e a *Supernatural* por me ajudar a relaxar no fim de um dia longo, e ao prolífico e talentoso Jack Robinson por ter escrito aquela que se tornou umas das minhas músicas preferidas de todos os tempos — "I Love to Love" — e ter permitido que eu citasse sua letra.

À minha família e aos meus amigos, de perto ou de longe, especialmente aos queridos Louis, Angelo, Ed Baran e às minhas gatinhas literárias — eu não teria sobrevivido os últimos dois anos sem vocês.

Este livro é para meu pai, um cara engraçado, estoico e brilhante, que sempre tinha que me pedir para abaixar a música (mas que me fez o melhor — e maior — aparelho de som do mundo).

E para minha mãe, que meu deu sapatilhas de balé e me ensinou a me sentir na pele dos outros e a saber que eu podia ser qualquer coisa que quisesse, e que nunca me deixou esquecer que alguém gosta de mim. *Juntando os pedaços* é o primeiro livro que escrevi que ela nunca vai ler, mas *você* leu, e isso significa tanto que nem consigo pôr em palavras.

1ª EDIÇÃO [2016] 8 reimpressões

ESTA OBRA FOI COMPOSTA PELA VERBA EDITORIAL EM BEMBO E
IMPRESSA PELA GRÁFICA BARTIRA EM OFSETE SOBRE PAPEL PÓLEN NATURAL
DA SUZANO S.A. PARA A EDITORA SCHWARCZ EM JULHO DE 2023

A marca FSC® é a garantia de que a madeira utilizada na fabricação do papel deste livro provém de florestas que foram gerenciadas de maneira ambientalmente correta, socialmente justa e economicamente viável, além de outras fontes de origem controlada.